El *ruiseñor*

y otros cuentos

Colección dirigida por

Francisco Antón

H. C. Andersen

El ruiseñor
y otros cuentos

Ilustraciones
Christian Birmingham

Versión y actividades
Francisco Antón

Vicens Vives

Primera edición, 2005
Primera reimpresión, 2005
Segunda reimpresión, 2005
Tercera reimpresión, 2006
Cuarta reimpresión, 2006

Depósito Legal: B. 16.211-2006
ISBN: 84-316-7165-3
Núm. de Orden V.V.: V-748

IMPRESO EN ESPAÑA
PRINTED IN SPAIN

Editorial VICENS VIVES. Avda. de Sarriá, 130. E-08017 Barcelona.
Impreso por Gráficas INSTAR, S.A.

Índice

El ruiseñor y otros cuentos

El traje nuevo del emperador   7

El firme soldado de plomo   18

La princesa y el guisante   27

El ruiseñor   30

El patito feo   49

La pequeña cerillera   66

La sirenita   72

Pulgarcita   103

Actividades   121

El traje nuevo del emperador

Hace muchos años vivió un emperador que sentía tanta pasión por la ropa nueva y elegante que se gastaba todo su dinero en trajes carísimos. No se interesaba en absoluto por sus soldados, ni le atraía ir al teatro, ni le gustaba pasear en carroza por los parques, como no fuese para lucir sus trajes nuevos. Tenía un atuendo[1] distinto para cada momento del día, y de la misma forma que de un rey se suele decir: «Está en la Sala del Consejo», de él se decía siempre: «El emperador está en su guardarropa».

La gran ciudad donde tenía su palacio era muy alegre y festiva, por lo que muchos forasteros la visitaban a diario. Un día llegaron dos granujas que se hicieron pasar por tejedores y comenzaron a decir que eran capaces de tejer la tela más maravillosa del mundo. No sólo sus colores y dibujos serían de una belleza jamás vista, sino que los trajes que se confeccionasen con aquella tela poseerían la rara propiedad[2] de ser invisibles para

---

1 **atuendo**: vestimenta, la ropa que se lleva puesta.
2 **propiedad**: cualidad, virtud.

todos aquellos que no mereciesen el cargo[3] que ocupaban o que fueran rematadamente estúpidos.

«¡Ésos sí que serían unos trajes fantásticos!», pensó el emperador. «Si los llevase, descubriría a los hombres que en mi imperio son indignos del cargo que ejercen, y podría distinguir a los listos de los tontos».

—¡Que se pongan enseguida a tejer esa tela! —dijo, y al instante entregó a los dos estafadores mucho dinero para que se pusieran a trabajar cuanto antes.

Los granujas instalaron dos telares y fingieron que trabajaban sin descanso, aunque no había ni un hilo en ellos. Exigieron que les trajeran a toda prisa la seda más fina y el hilo de oro más reluciente; pero, en lugar de usarlos, se los guardaron en sus sacos e hicieron ver que trabajaban en los telares vacíos hasta muy entrada la noche.

«Me gustaría saber cuánto han adelantado con la tela», pensó el emperador al día siguiente. Pero al recordar que quien fuera tonto o indigno[4] de su cargo no la podría ver, se inquietó un poco. No es que le preocupara que algo así pudiera ocurrirle a él, ¡faltaría más!, pero, por si acaso, sería mejor enviar primero a otro para ver cómo iban las cosas.

Todos en la ciudad habían oído hablar ya de la extraordinaria propiedad de aquella tela, y todos se morían de ganas por saber lo tontos o inútiles que eran sus vecinos.

«Enviaré a mi viejo y honrado primer ministro a visitar a los tejedores», se dijo el emperador. «Nadie mejor que él podrá juz-

---

3 **cargo**: trabajo, puesto.
4 **indigno**: que no merece algo.

gar la calidad de la tela, porque es muy inteligente y la persona más capacitada para desempeñar su cargo».

Así que el viejo y bondadoso ministro se fue a la sala donde los dos estafadores estaban trabajando, pero lo único que vio fue el telar vacío.

«¡Dios me valga!», pensó el viejo ministro, abriendo los ojos de par en par, «¡si no veo nada!»; pero se cuidó mucho de decirlo.

Los estafadores le rogaron que se acercara y le preguntaron si no opinaba que aquella tela tenía un dibujo bellísimo y unos colores preciosos. Le señalaban el telar vacío, y el pobre primer ministro abría bien los ojos y lo miraba con mucha atención, pero no veía nada porque nada había que ver.

«¡Santo Dios!», se dijo; «¿acaso soy estúpido? Nunca pensé que lo fuera, pero, si es así, más vale que nadie lo sepa. ¿O puede que no sea digno de mi cargo? ¡Oh, no, eso sería peor aún! Me conviene fingir que veo la tela».

—Señor, no decís nada de la tela… —dijo uno de los granujas mientras simulaba tejer.

—¡Oh, es preciosa, una verdadera maravilla! —exclamó el viejo ministro, ajustándose las gafas—. ¡Qué dibujo! ¡Y qué colores! Le diré al emperador lo mucho que me gusta.

—¡Cuánto nos complace oíros decir eso! —replicaron los tejedores, y entonces se pusieron a describir los dibujos y la tonalidad de los colores que empleaban.

El viejo ministro los escuchó con mucha atención para poder repetírselo todo al emperador. Y eso es exactamente lo que hizo cuando regresó al palacio.

Los estafadores pidieron más dinero, más seda y más hilo de oro, que, según dijeron, necesitaban para el tejido. Pero volvieron a guardarlo todo en su saco, y al telar no fue a parar ni una hebra.[5] Sin embargo, ellos continuaron como antes, simulando que tejían en el telar vacío.

Poco después el emperador envió a otro honesto funcionario[6] para que comprobase cómo progresaba el trabajo y averiguara si el tejido estaría listo pronto. Pero al funcionario le sucedió lo mismo que al primer ministro: miró y remiró, pero como en el telar no había nada, nada pudo ver.

—¿Qué os parece? ¿Verdad que es un tejido precioso? —dijeron los estafadores, y le señalaron y describieron la hermosa tela, que no existía.

---

5 **hebra**: trozo de hilo.
6 **funcionario**: empleado del Estado.

«Yo no soy estúpido», pensó el funcionario, «así que ¿seré indigno del alto cargo que ocupo? ¡Qué cosa más extraña! Pero más vale que nadie lo sepa».

De modo que comenzó a elogiar[7] la tela que no veía e insistió en lo mucho que le gustaban sus hermosos colores y bellos dibujos.

—¡Es una auténtica maravilla! —le dijo al emperador cuando llegó al palacio.

Todos en la ciudad hablaban de la hermosa tela.

Al fin, el mismo emperador se decidió a verla antes de que la sacaran del telar. Acompañado por un montón de cortesanos[8] distinguidos, entre los que figuraban el viejo primer ministro y el honrado funcionario que habían ido antes, fue a visitar a los astutos estafadores. Y los encontró tejiendo con todo su afán,[9] pero sin una hebra de hilo.

—¿No es una preciosidad? —preguntaron los dos honestos funcionarios—. ¡Mire, mire Vuestra Majestad…, qué dibujos, qué colores! —y señalaban el telar vacío, pensando que el resto de los cortesanos vería la tela.

«¿Qué es esto?», pensó el emperador. «¡Pero si no veo nada! ¡Es terrible! ¿Acaso soy estúpido? ¿O es que no merezco ser emperador? ¡Eso sería lo más espantoso que podría ocurrirme!».

Pero lo que dijo en voz alta fue:

—¡Oh, es una preciosidad! Merece toda nuestra real aprobación —y asintió complacido con la cabeza, mirando el telar vacío… No iba a admitir que no veía nada…

---

7 **elogiar**: alabar, decir cosas buenas de algo.

8 **cortesano**: persona que antiguamente servía al rey en la corte.

9 **afán**: esfuerzo e interés que se pone en hacer algo.

Todos los miembros de la comitiva[10] miraban y remiraban, pero, aunque no pudieron ver más de lo que el emperador había visto, dijeron lo mismo que él:

—¡Oh, es una preciosidad!

Y le aconsejaron que se hiciese un traje con aquella maravillosa tela, para lucirlo en la gran procesión que iba a celebrarse pronto.

—¡Es magnífica! ¡Admirable! ¡Excelente! —eran los comentarios que corrían de boca en boca, pues todos estaban encantados con aquella tela. El emperador concedió a ambos estafadores el título de Real Caballero del Telar y la Cruz de Caballero para que la lucieran en el ojal.

La víspera de la procesión, los estafadores se pasaron toda la noche en vela con más de dieciséis candelas[11] encendidas. A través de las ventanas, todo el mundo pudo ver cómo se esforzaban para tener listo a tiempo el nuevo traje del emperador. Los granujas fingieron que sacaban el tejido del telar, cortaron el aire con grandes tijeras y cosieron con agujas sin hilo. Al fin, anunciaron:

—¡Mirad! ¡El traje está listo!

El emperador en persona acudió a la sala acompañado de sus más distinguidos cortesanos. Los estafadores levantaron los brazos, como si sostuvieran algo entre los dos, y dijeron:

—¡Mirad, éstos son los pantalones! ¡Ésta es la casaca, y ésta la capa! —y así siguieron mostrándole las demás prendas—. ¡El traje es tan ligero como una telaraña! Cuando uno se lo pone,

---

10 **comitiva**: conjunto de personas que acompaña a alguien.
11 **candela**: vela.

parece como si no llevara nada en el cuerpo, pero ésta es precisamente su maravillosa propiedad.

—¡Es verdad! —decían los cortesanos; pero no veían nada, porque nada había que ver.

Los estafadores preguntaron:

—¿Tendrá Vuestra Majestad Imperial la bondad de desnudarse para que le probemos el nuevo traje frente a aquel gran espejo?

El emperador se despojó de toda su ropa, y los pícaros simularon entregarle una a una todas las piezas del traje que pretendían haber cosido. Luego se acercaron al emperador e hicieron como si le atasen algo a la cintura: era la cola de la capa.

El emperador se miraba y se volvía ante el espejo.

—¡Válgame Dios, qué bien le sienta a Vuestra Majestad! ¡Qué elegante le queda! —decían todos—. ¡Qué dibujos! ¡Qué colores! ¡Es un traje magnífico!

—Afuera esperan a Vuestra Majestad con el palio[12] bajo el cual habéis de desfilar en la procesión —dijo el maestro de ceremonias del emperador.

---

12 **palio**: cubierta de tela muy rica colocada sobre cuatro barras bajo la cual camina en una procesión un papa o un rey.

—Como podéis ver, ya estoy dispuesto —dijo el emperador—. ¿Verdad que el traje me sienta bien?

Y de nuevo se miró y se volvió ante el espejo, simulando que contemplaba sus galas.[13]

Los chambelanes[14] que debían sostenerle la cola se inclinaron y fingieron que la cogían y levantaban; luego echaron a caminar

con las manos en alto, para que nadie sospechara que no veían nada.

Y el emperador marchó en la procesión bajo el hermoso palio, y toda la multitud agolpada en la calle y la gente asomada a las ventanas decían:

---

13 **galas**: ropa muy elegante.
14 **chambelán**: persona noble que acompañaba al rey.

—¡Dios, qué precioso es el nuevo traje del emperador! ¡Qué cola tan magnífica! ¡Y qué bien le combina con el traje!

Nadie estaba dispuesto a admitir que no veía nada, para no pasar por una persona muy estúpida o totalmente inepta[15] para el trabajo que desempeñaba.

Jamás un traje del emperador había tenido tanto éxito.

—¡Pero si va desnudo! —exclamó de repente un niño.

—¡Dios mío, escuchad la voz de la inocencia! —dijo el padre.

Y unos a otros se cuchicheaban lo que el niño había dicho.

—«¡Va desnudo!», ha dicho un niño. «¡Va desnudo!».

—¡Va desnudo! —exclamaron todos al fin.

Y el emperador se sintió inquieto, porque sabía que tenían razón; pero, a pesar de todo, se dijo: «Lo mejor que puedo hacer es seguir adelante como si no pasara nada».

Y entonces se irguió con mayor arrogancia,[16] y los chambelanes siguieron tras él, llevándole la cola que no existía.

---

15 **inepta**: inútil, incapaz.

16 **se irguió**: se estiró; **arrogancia**: actitud de quien se cree tan importante que desprecia a los demás.

El firme soldado de plomo

Había una vez veinticinco soldados de plomo. Todos ellos eran hermanos, porque los habían hecho de la misma vieja cuchara de plomo. Llevaban el fusil al hombro, miraban al frente y lucían elegantes uniformes de azul y rojo. Cuando alguien abrió la caja donde estaban metidos, lo primero que los soldados oyeron al ver la luz del día fue:

—¡Soldados de plomo! —gritó un niño dando palmadas. Se los habían regalado porque era su cumpleaños, y enseguida empezó a ponerlos en fila sobre la mesa.

Todos los soldados eran iguales, salvo uno que era un poco distinto. No tenía más que una pierna, porque lo habían fundido el último, cuando no quedaba plomo suficiente; pero se mantenía tan firme sobre su única pierna como los demás sobre las dos, y él es precisamente el héroe de nuestra historia.

En la mesa en que se alineaban los soldados había otros muchos juguetes, pero el que más llamaba la atención era un precioso castillo de papel. A través de las ventanitas se podían ver sus salones. En el exterior, rodeado de arbolitos, habían puesto un

espejo que hacía las veces de lago, en el que nadaban y se reflejaban unos cisnes de cera. Todo era maravilloso, pero lo más encantador de todo era una señorita que se encontraba a la puerta del castillo. Ella también era de papel recortado, pero llevaba puesta una falda de la más delicada muselina[1] y una estrecha cintita azul sobre los hombros. En la cintura lucía una brillante lentejuela[2] tan grande como su cara. La damita extendía los dos brazos hacia delante, porque era bailarina, y tenía una pierna tan levantada que el soldado de plomo no alcanzaba a verla, por lo que pensó que, al igual que él, la damita sólo tenía una pierna.

«¡Ésa es la esposa que yo necesito!», pensó. «Pero es demasiado distinguida y vive en un castillo, mientras que yo no tengo más que una caja que comparto con veinticuatro soldados más; no es un lugar adecuado para ella. A pesar de todo, me gustaría conocerla…».

Y se tendió cuan largo era detrás de una caja de rapé[3] que había sobre la mesa: desde allí podía contemplar a sus anchas a la bella señorita, que continuaba derecha sobre una sola pierna sin perder el equilibrio.

Cuando se hizo de noche, guardaron a los otros soldados de plomo en la caja, y las personas de la casa se fueron a la cama. Los juguetes empezaron entonces a jugar. Jugaron a que iban a visitar a los amigos, a que marchaban a la guerra y a que celebraban un baile. Los soldados de plomo se agitaban ruidosamente dentro de la caja porque querían participar en los juegos,

---

1 **muselina**: tejido muy fino y ligero, como la seda.

2 **lentejuela**: lámina redonda y brillante, del tamaño de una lenteja y con un agujero en el centro, que se cose como adorno en algunas prendas.

3 **rapé**: tabaco en polvo que se aspiraba por la nariz para estornudar.

pero no podían levantar la tapa. El cascanueces daba volteretas, y la tiza escribía bobadas en la pizarra. Se armó tal barullo que el canario se despertó y empezó a parlotear también, sólo que él lo hizo en verso. Los dos únicos que no se movían eran el soldado de plomo y la pequeña bailarina; ella se mantenía erguida de puntillas y con los brazos extendidos; él también estaba firme sobre su pierna, sin apartar los ojos de ella ni un solo momento.

Cuando el reloj dio las doce, ¡zas!, la tapa de la caja de rapé se abrió de repente impulsada por un resorte; pero dentro no había tabaco, qué va, sino un pequeño duende negro, porque aquella era una caja-sorpresa.

—¡Soldado de plomo! —gritó el duende—: ¿por qué no dejas de mirar lo que no te importa?

Pero el soldado de plomo hizo como si no hubiera oído nada.

—¡Muy bien! ¡Pues ya verás mañana! —dijo el duende.

Cuando los niños se levantaron a la mañana siguiente, colocaron al soldado de plomo junto a la ventana, y ya fuera a causa del duende, o bien debido a la corriente de aire, el caso es que la ventana se cerró de golpe y arrojó al soldado a la calle desde el tercer piso. Fue una caída terrible: se quedó cabeza abajo, con la pierna al aire, plantado sobre su sombrero de piel de oso y la bayoneta clavada entre los adoquines.

La criada y el niño bajaron en seguida a buscarlo, pero aunque estuvieron a punto de pisarlo, no lo vieron. Si el soldado hubiera gritado: «¡Estoy aquí!», seguro que lo habrían encontrado, pero no le pareció adecuado hablar a gritos yendo de uniforme.

Entonces empezó a llover. Al principio chispeaba, pero luego cayó un auténtico aguacero. Cuando cesó la lluvia, llegaron dos golfillos.

—¡Anda! —dijo uno de ellos—. ¡Aquí hay un soldado de plomo! Vamos a ponerlo a navegar.

Así que hicieron un barco con una hoja de periódico, metieron en él al soldado de plomo, y el barco empezó a navegar a lo largo del bordillo. Los dos chicos corrían a su lado, palmoteando. ¡Dios mío, qué olas tan grandes se formaban en el arroyo, y qué corriente tan fuerte! Pero es que había caído un verdadero chaparrón… El barco de papel cabeceaba arriba y abajo, y de vez en cuando se giraba tan velozmente que el soldado de plomo se estremecía. Pero él se mantenía tan firme como siempre, sin inmutarse, con la mirada al frente y el fusil al hombro.

De repente el barco se cayó por una alcantarilla. Todo estaba allí tan oscuro como dentro de su caja.

«¿Adónde iré a parar?», se preguntó el soldado. «¡Seguro que todo esto es culpa del duende! ¡Oh, si la pequeña bailarina estuviera conmigo, no me importaría que fuese aún más oscuro!».

En esto apareció una gran rata de agua que vivía en la alcantarilla.

—¿Tienes pasaporte? —preguntó la rata—. ¡A ver, el pasaporte!

Pero el soldado de plomo no contestó nada y sujetó el fusil con más fuerza aún.

El barco seguía navegando a toda velocidad, y la rata iba tras él. Oh, estaba furiosa, rechinaba los dientes y le gritaba a unos palitos y pajitas que flotaban en el agua:

—¡Detenedle, detenedle! ¡No ha pagado peaje! ¡No me ha enseñado el pasaporte!

Pero la corriente era cada vez más impetuosa, y el soldado de plomo podía ver ya la luz del día al final de la alcantarilla. De repente oyó un estruendo que hubiera asustado al más valiente. Y es que, ¡imaginaos!, al final de la alcantarilla el agua se precipitaba en un gran canal.

Aquello era tan peligroso para él como lo sería para nosotros precipitarnos en un barco por unas grandes cataratas.

Estaba ya tan cerca que no podía detenerse. El barco cayó en picado y el pobre soldado de plomo se mantuvo tan firme como pudo. Nadie podría acusarlo siquiera de haber parpadeado. El barco dio tres, cuatro vueltas, se llenó de agua y empezó a hundirse. El agua le llegaba ya hasta el cuello al soldado; el barco se hundía cada vez más y el papel se rompía por momentos. Cuando el agua le cubría ya la cabeza, el soldado pensó en la pequeña y hermosa bailarina a la que no volvería a ver jamás, y en sus oídos sonó la canción:

¡Soldado, sigue adelante,
que la muerte no te espante!

En aquel momento el papel se acabó de romper y el soldado se hundió, pero justo entonces se lo tragó un gran pez.

¡Caramba, allí sí que estaba oscuro! Era aún peor que la alcantarilla y, encima, mucho más estrecho. Pero el soldado de plomo se mantuvo firme, tendido como estaba y con el fusil al hombro.

El pez salió disparado y se contorsionaba del modo más terrible. Por fin se quedó completamente quieto, y al cabo de un rato lo atravesó algo así como un rayo de luz. Brilló la luz del día y alguien gritó a voz en cuello:

—¡Un soldado de plomo!

Habían pescado al pez, lo habían llevado al mercado, lo habían vendido y había ido a parar a una cocina, donde una muchacha lo acababa de abrir con un gran cuchillo. Entonces cogió al soldado por la cintura con dos dedos y se lo llevó al salón, donde todos deseaban ver a aquel personaje tan extraordinario que había viajado en el vientre de un pez. Pero el soldado de plomo no estaba nada orgulloso. Lo colocaron en la mesa y allí…, ¡bueno, qué cosas tan extrañas pasan en este mundo!, el soldado de plomo estaba en la misma habitación del principio. Vio a los mismos niños y a los mismos juguetes sobre la mesa, y también vio el precioso castillo con la hermosa bailarina, que todavía se mantenía erguida sobre una sola pierna mientras levantaba la otra en el aire. Al ver a la damita el soldado se conmovió tanto que a punto estuvo de llorar lágrimas de plomo, pero se contuvo porque eso hubiera sido impropio de un soldado. Él la miró, y ella lo miró a él, pero no se dijeron nada.

En esto uno de los niños cogió al soldado y, sin dar la menor explicación, lo tiró de cabeza a la estufa. Seguro que aquello era cosa del duende…

El soldado de plomo se puso incandescente y sintió un calor horroroso, aunque no sabía bien si era debido al fuego o al amor.

Había perdido ya los colores, aunque nadie podía decir si era a causa del viaje o de la pena. Miró a la damita, y ella lo miró a él. De pronto, el soldado sintió cómo se estaba fundiendo, pero se mantuvo todavía firme y con el fusil al hombro. Entonces se abrió una puerta y el viento se llevó a la bailarina, que voló como una sílfide[4] hasta la estufa, cayó junto al soldado de plomo, se prendió con una gran llamarada y se consumió. El soldado de plomo se fundió y quedó convertido en una bolita, pero cuando la criada sacó las cenizas al día siguiente, se había transformado en un corazoncito de plomo. De la bailarina sólo quedaba la lentejuela, negra como el carbón.

4 **sílfide**: mujer fantástica y muy hermosa que habita en el aire.

La princesa y el guisante

Había una vez un príncipe que quería casarse con una princesa, pero tenía que ser una princesa de verdad. Así que recorrió el mundo entero en busca de una que lo fuera, pero cada vez que conocía a alguna princesa le encontraba algún defecto. Y no es que no hubiera bastantes princesas, pero ¿lo eran de verdad? Ése era el problema. Siempre les veía algún inconveniente. Así que regresó a su reino muy desconsolado, porque lo único que deseaba en el mundo era casarse con una princesa de verdad.

Una noche estalló una tormenta horrible. Relampagueaban los rayos, retumbaban los truenos y llovía a cántaros: ¡hacía una noche espantosa! De pronto alguien llamó a la puerta de la ciudad, y el viejo rey fue a abrir. Afuera aguardaba una princesa, pero, ¡Dios mío, qué mal aspecto tenía con aquel aguacero y aquel tiempo terrible! El agua le chorreaba del pelo y de la ropa, le corría hasta la punta de los zapatos y le salía por los talones, y, sin embargo, la joven decía que era una princesa de verdad.

«Bueno, no tardaremos en comprobar si lo que dice es cierto», pensó la vieja reina y, sin decir una sola palabra, se dirigió al

dormitorio, apartó toda la ropa de cama y el colchón y puso un guisante en la base de la cama. Después colocó veinte colchones encima del guisante y otros veinte edredones encima de los colchones. Ésa era la cama donde la princesa iba a dormir aquella noche.

A la mañana siguiente le preguntaron cómo había dormido.

—¡Oh, he dormido terriblemente mal! —dijo—. A duras penas he pegado ojo en toda la noche. ¡Sólo Dios sabe lo que había en esa cama! Estaba acostada sobre algo tan duro que tengo todo el cuerpo lleno de moratones. ¡Ha sido horrible!

Y así es como pudieron comprobar que era una princesa de verdad, porque a través de veinte colchones y veinte edredones había notado el guisante. Sólo una princesa de verdad podía tener una piel tan delicada.

El príncipe la tomó por esposa porque sabía que había dado con una princesa auténtica, y el guisante fue expuesto en el Museo Real, donde todavía puede verse, si es que nadie lo ha robado.

Y esta historia, como la princesa, sí que es de verdad.

El ruiseñor

En China, como sabéis, el emperador es chino, y chinos son también todos los que viven con él. Esta historia sucedió hace muchos, muchos años, pero precisamente por eso merece la pena que la escuchéis, antes de que todo el mundo la olvide.

El palacio del emperador era el más hermoso del mundo. Estaba hecho de una porcelana fina y muy valiosa, pero tan frágil que había que tener mucho cuidado al tocarla. Los jardines estaban llenos de preciosas flores, y a las más bellas les habían atado unas campanitas de plata que tintineaban para que nadie pasase por su lado sin detenerse a observarlas. Y es que en el jardín del emperador todo estaba pensado de la forma más ingeniosa.

Tan grande era el jardín que ni el mismo jardinero real sabía dónde se terminaba. Si uno caminaba sin parar, llegaba a un bosque encantador cuyos altos árboles se reflejaban en lagos profundos. El bosque se extendía hasta el mar, que era azul y muy hondo. Por eso los grandes barcos podían navegar tan cerca de la costa que las ramas de los árboles les hacían sombra; y en ellas vivía un ruiseñor que cantaba como los ángeles. Su canto era tan melodioso que hasta el pescador, que estaba siempre de lo más atareado, se paraba a escucharlo cuando cada noche salía a echar las redes y oía al ruiseñor.

—¡Bendito sea Dios, qué canto tan hermoso! —exclamaba; pero como tenía tanto que hacer, pronto se olvidaba del pájaro.

Sin embargo, cuando a la noche siguiente salía a pescar de nuevo y el pájaro volvía a cantar, repetía:

—¡Bendito sea Dios, qué canto tan hermoso!

De todos los países del mundo llegaban viajeros a la ciudad del emperador para admirar sus calles, el palacio y su jardín; pero en cuanto oían cantar al ruiseñor, todos decían:

—¡Eso es lo más hermoso de todo!

Y cuando regresaban a sus casas, los viajeros contaban lo que habían visto y los sabios escribían muchos libros sobre la ciudad, el palacio y el jardín, pero no olvidaban al ruiseñor, al que consideraban lo más valioso de todo. Y los que sabían escribir poesías compusieron los poemas más inspirados sobre el ruiseñor que vivía en el bosque junto a la orilla del hondo mar.

Aquellos libros dieron la vuelta al mundo y algunos llegaron a manos del emperador. Sentado en su trono de oro, el emperador leía y leía, y de continuo asentía con la cabeza porque disfrutaba leyendo las espléndidas descripciones de la ciudad, el palacio y el jardín. Al final llegó a la página donde se decía: «Pero el ruiseñor es lo mejor de todo».

—¿Cómo? —exclamó el emperador—. ¿El ruiseñor? ¿Qué ruiseñor? No sé nada de él. Ahora resulta que hay un pájaro extraordinario no ya sólo en mi imperio, sino en mi propio jardín, y no he oído hablar de él. ¡Y tengo que enterarme leyéndolo en un libro!

Así que llamó a su cortesano principal, un noble tan importante que si alguien de un rango[1] inferior se atrevía a hablarle o a hacerle una pregunta, no contestaba más que: «P», que no significa nada.

—Parece que tenemos un pájaro asombroso que se llama ruiseñor —dijo el emperador—. Dicen que es lo más extraordinario que hay en mi imperio. ¿Cómo es que nadie me ha hablado nunca de él?

—Yo tampoco he oído hablar de él —respondió el cortesano—. Jamás ha sido presentado a la Corte.

—Quiero que esta misma noche venga aquí y cante para mí —exigió el emperador—. ¡El mundo entero sabe que tengo ese ruiseñor, menos yo!

1 **rango**: categoría.

—Jamás he oído hablar de él —insistió el cortesano—. ¡Pero voy a buscarlo y lo encontraré!

Sin embargo, eso era más fácil decirlo que hacerlo. El cortesano recorrió todo el palacio, subió y bajó escaleras, atravesó salones y pasillos, pero ninguna de las personas con las que se encontró había oído hablar del ruiseñor. Así que acudió a ver al emperador y le dijo que aquella no era más que una fábula[2] inventada por los que habían escrito los libros.

—Vuestra Majestad Imperial no debe creer todo lo que se escribe: hay cosas inventadas y lo que llaman magia negra.

—Pero el libro donde lo he leído —replicó el emperador— me lo envió el poderoso emperador de Japón, de modo que no puede ser mentira. ¡Quiero oír al ruiseñor esta misma noche! ¡Ése es mi imperial deseo! ¡Si no viene, todos los miembros de la Corte recibirán golpes en la barriga después de cenar!

—¡*Tsing-pe!* —dijo el cortesano, y volvió a subir y bajar corriendo por todas las escaleras y a atravesar salones y pasillos, y media Corte corrió con él, porque a nadie le apetecía que le golpeasen la barriga. Todos preguntaban por aquel asombroso ruiseñor al que el mundo entero conocía, pero del que nadie había oído hablar en la Corte.

Al fin encontraron a una pobre muchachita que trabajaba en la cocina, y dijo:

—¡Dios mío, el ruiseñor! ¡Claro que lo conozco! ¡Y cómo canta! Todas las noches me dan permiso para llevarle algunas sobras de la mesa a mi pobre madre enferma, que vive a la orilla del mar; y al regresar estoy tan agotada que me siento a descan-

---

2 **fábula**: cuento, historia.

sar en el bosque y oigo al ruiseñor. Sólo de oírlo se me llenan los ojos de lágrimas, al igual que cuando mi madre me besa.

—Pequeña —dijo el cortesano—, te conseguiré un empleo fijo en la cocina y te autorizaré a que veas comer al emperador si nos conduces hasta el ruiseñor, pues ha sido convocado aquí esta noche.

Y media Corte se fue al bosque donde solía cantar el ruiseñor. Cuando iban de camino oyeron mugir una vaca.

—¡Oh! —exclamó el chambelán—. ¡Ahí está! ¡Qué voz tan potente para un animal tan pequeño! Estoy seguro de haberlo oído antes.

—¡No, eso es la vaca que muge! —dijo la pequeña—. Todavía estamos lejos de donde vive el ruiseñor.

Luego pasaron junto a un estanque donde croaban las ranas.

—¡Delicioso! —dijo el capellán imperial—. Ya lo oigo, suena como las campanitas de un templo.

—¡Qué va, eso son las ranas! —dijo la niña—. Pero ya no tardaremos mucho en oírlo.

Y entonces el ruiseñor empezó a cantar.

—¡Ése es! —dijo la muchachita—. ¡Escuchad, escuchad! ¡Está allí arriba! —y señaló a un pajarito gris posado entre las ramas.

—¡No es posible! —exclamó el cortesano—. Nunca me lo hubiera imaginado así. ¡Tiene un aspecto tan vulgar…! Seguro que ha perdido los colores de pura vergüenza al verse ante tantas personas distinguidas.

—¡Pequeño ruiseñor! —gritó la muchachita—, ¡nuestro emperador desea que cantes para él!

—¡Será un placer! —contestó el ruiseñor, y cantó tan bien que daba gloria oírlo.

—¡Parecen campanitas de cristal! —dijo el cortesano—. Escuchad cómo vibra su pequeña garganta. Es extraño que nunca lo hayamos oído. ¡Será toda una sensación en la Corte!

—¿Canto de nuevo para el emperador? —preguntó el ruiseñor, que creía que el emperador se encontraba allí.

—Distinguido ruiseñor —dijo el cortesano—, tengo el gran placer de invitaros a una fiesta que va a celebrarse esta noche en la Corte, y en la que tendréis ocasión de fascinar con vuestro delicioso canto a Su Majestad Imperial.

—Mi canto suena mejor al aire libre… —dijo el ruiseñor; pero los siguió gustoso cuando supo que ése era el deseo del emperador.

En el palacio le habían sacado brillo a todo. Miles de lámparas de oro se reflejaban en las paredes y el suelo, que eran de porcelana. Los pasillos estaban decorados con hermosísimas flores, aquéllas que repiqueteaban con sus campanitas de plata. Al correr de aquí para allá por todo el palacio, los sirvientes provocaban corrientes de aire que hacían sonar todas las campanitas, así que no había forma de oírse unos a otros.

En medio del gran salón donde estaba el trono del emperador habían colocado una percha[3] de oro para que se posara el ruiseñor. Toda la Corte se hallaba presente, y a la pequeña pinche de cocina le habían dado permiso para permanecer detrás de una puerta y escuchar, pues acababan de concederle el título de cocinera. Todos iban vestidos con sus mejores galas y todos miraban al pequeño pájaro gris, al que el emperador le hizo un gesto con la cabeza para que empezara a cantar.

Y el ruiseñor cantó tan deliciosamente que al emperador se le llenaron los ojos de lágrimas, y, al verlo, el pajarillo cantó aún mejor. Sus canciones llegaban derechas al corazón, y al emperador le agradaron tanto que ordenó que colocaran al ruiseñor su babucha de oro alrededor del cuello. El pajarillo gris le dio las gracias pero le dijo que no la aceptaba, pues ya había tenido suficiente recompensa.

—He visto lágrimas en los ojos de un emperador, y ése es para mí el mayor tesoro. Hay un poder maravilloso en las lágrimas de un emperador, y Dios sabe que ésa es una recompensa más que suficiente.

Y volvió a cantar con su maravillosa y dulce voz.

---

3 **percha**: soporte alto en forma de cruz en que se apoyan las aves.

—¡Es lo más adorable que hemos oído jamás! —dijeron todas las damas, y se dedicaron a llenarse la boca de agua para hacer gorgoritos cuando alguien les hablaba, porque de ese modo
pensaban que su voz sonaba como la del ruiseñor.

Los lacayos y las camareras decían que el canto del ruiseñor les había complacido, y eso quiere decir mucho, porque los sirvientes son las personas más difíciles de satisfacer.

No cabía duda de que el ruiseñor había tenido un éxito rotundo.

Ahora debería residir en la Corte, tendría su propia jaula y libertad para salir de paseo dos veces al día y una vez por la noche. Salía con doce sirvientes, y cada uno de ellos lo sujetaba con una cinta de seda atada a su pata. Y en esas condiciones el paseo no resultaba nada placentero.

Toda la ciudad hablaba del pájaro maravilloso, y cuando dos personas se encontraban por la calle, uno decía: «Rui», y el otro contestaba: «Señor», y suspiraban y se entendían entre sí. Once tenderos llegaron a bautizar a sus hijos con el nombre de «Ruiseñor», aunque ninguno de ellos demostró cualidades para cantar.

Un día llegó un paquete para el emperador. En él ponía: «Ruiseñor».

—Aquí tenemos otro libro sobre nuestro famoso pájaro —dijo el emperador.

Pero aquello no era un libro, sino una caja que contenía un ruiseñor mecánico. Se suponía que debía parecerse al vivo, pero estaba hecho de oro y plata y recubierto de diamantes, rubíes y zafiros. Cuando le daban cuerda, cantaba una de las piezas que solía entonar el auténtico, al tiempo que subía y bajaba su reluciente cola de oro y plata. Del cuello le colgaba una cintita en la que estaba escrito: «El ruiseñor del emperador de Japón no es nada en comparación con el del emperador de China».

—¡Es una maravilla! —exclamaron todos, y al mensajero que había traído el pájaro se le concedió de inmediato el título de Excelso Suministrador Imperial de Ruiseñores.

—Ahora deberían cantar juntos y formar un dúo.

Así que los hicieron cantar juntos, pero aquello no funcionó, porque el ruiseñor de verdad cantaba a su manera y el ruiseñor mecánico tenía un cilindro en su pecho en lugar de corazón.

—No es culpa suya —dijo el maestro de música—. Lleva perfectamente el compás, es de mi escuela.

De modo que el pájaro artificial hubo de cantar solo. Tuvo tanto éxito como el de verdad, y además era mucho más atractivo a la vista, pues relucía como las pulseras y los broches.

Treinta y tres veces cantó la misma pieza sin cansarse. A la Corte le hubiera gustado oírla una vez más, pero el emperador pensó que el ruiseñor vivo también tenía que cantar un poco. ¿Pero dónde estaba? Nadie se había dado cuenta de que había salido volando por la ventanita abierta de la jaula y se había ido a su verde bosque.

—No lo puedo entender —dijo el emperador.

Y todos los cortesanos insultaron al ruiseñor y lo acusaron de ser una criatura muy desagradecida.

—¡Pero seguimos teniendo al mejor de los dos! —dijeron, y el pájaro mecánico volvió a cantar de nuevo. Era la trigésima cuarta vez que cantaba la misma canción, pues no conocía otra, pero aun así los cortesanos todavía no se la habían aprendido

porque era muy difícil. Y el maestro de música se deshizo en elogios del ruiseñor mecánico y aseguró que era mejor que el de verdad, y no sólo por su apariencia externa y sus diamantes, sino también por su interior.

—Porque consideren Sus Señorías, y ante todo, Vuestra Majestad Imperial: con el ruiseñor de verdad no se puede predecir lo que va a suceder; uno nunca sabe lo que va a cantar. En cambio con el pájaro mecánico todo está previsto: sucederá eso, y no otra cosa, ¡pues siempre canta la misma canción! Uno puede fiarse de él, y hasta saber cómo funciona: podemos abrirlo y observar cómo la mente humana ha dispuesto los cilindros y las ruedas y cómo unas impulsan a otros.

—Ésa es exactamente nuestra opinión —dijeron todos a coro.

Y al maestro de música se le concedió permiso para que el domingo siguiente mostrara el pájaro al pueblo. También el pueblo debía oírlo cantar, dijo el emperador. Y todos lo oyeron, y se deleitaron tanto como si se hubieran emborrachado con té, que es una cosa muy china, y señalaban hacia arriba con el dedo con el que los chinos rebañan las cacerolas, asentían con la cabeza y decían: «¡Oh!».

Pero el pobre pescador que había oído al ruiseñor de verdad dijo:

—Suena bien y se parece bastante al canto del ruiseñor, pero le falta algo, y no sé qué es.

El ruiseñor auténtico fue desterrado del imperio.

El pájaro mecánico fue colocado sobre un cojín de seda, al lado de la cama del emperador. A su alrededor tenía todos los regalos que le habían hecho, oro y piedras preciosas. Había obtenido el título de Cantante de la Mesa de Noche de su Majestad

Imperial, con el rango de Número Uno del Lado Izquierdo, ya que el emperador consideraba que este lado es el más distinguido porque ahí es donde se encuentra el corazón, y hasta un emperador lo tiene a la izquierda.

El maestro de música escribió veinticinco volúmenes sobre el pájaro mecánico. No sólo eran muy extensos y eruditos,[4] sino que contenían las palabras chinas más difíciles. Todos aseguraban haberlos leído y comprendido, porque en caso contrario los habrían considerado estúpidos y les hubieran golpeado la barriga.

Así pasó un año entero. El emperador, la Corte y todos los chinos de China se sabían de memoria cada gorgorito de la canción del pájaro mecánico; pero precisamente por eso les gustaba tanto: la podían cantar ellos mismos, y esto es lo que hacían. Los pilletes de la calle cantaban: «Zi-zi-zizzi, cluc-cluc-cluc-cluc», y también lo hacía el emperador. ¡Oh, era una verdadera delicia!

Pero una noche en que el pájaro estaba cantando como nunca y el emperador lo escuchaba tendido en la cama, se oyó un «¡clac!», las ruedas giraron como locas y la música se paró.

El emperador saltó de la cama y llamó a su médico; pero ¿qué podía hacer él? Así que trajeron al relojero, quien después de mucho hablar y mucho examinar al pájaro pudo arreglarlo a medias, pero dijo que había que tener mucho cuidado porque los cilindros estaban gastados y era imposible sustituirlos por otros nuevos sin que cambiara la música.

¡Vaya desgracia! Desde entonces sólo una vez al año se permitía que el pájaro mecánico cantase, y a duras penas acababa su canción. Pero el maestro de música pronunció un discurso

---

4 **erudito**: sabio.

con palabras difíciles en el que afirmó que el pájaro era tan bueno como antes, así que siguió siendo tan bueno como antes.

Pasaron cinco años. Todo el país estaba muy apenado porque el emperador había caído enfermo, y todos amaban mucho a su emperador. Se decía que iba a morir. Un nuevo emperador ya había sido designado, y cuando la gente le preguntaba al cortesano mayor cómo se encontraba el emperador, el cortesano sacudía la cabeza y contestaba:

—¡P!

El emperador yacía frío y pálido en su grandioso y espléndido lecho. Toda la Corte lo creyó muerto y todos se apresuraron a presentar sus respetos al nuevo emperador. Los lacayos salieron a la calle a chismorrear y las camareras se reunieron a tomar café. Colocaron alfombras en todos los salones y pasillos para que no se oyeran los pasos, así que todo el palacio estaba en absoluto silencio.

Pero el emperador no había muerto todavía. Yacía frío y pálido en su espléndido lecho, del que colgaban largos cortinajes de terciopelo y pesadas borlas de oro. La luz de la luna entraba por una ventana abierta e iluminaba al emperador y al pájaro mecánico.

El pobre emperador casi no podía respirar; era como si alguien estuviera sentado sobre su pecho. Abrió los ojos y descubrió que era la Muerte la que estaba sentada. Se había puesto la corona imperial, y en una mano llevaba el sable de oro del emperador y, en la otra, su magnífico estandarte. Y a su alrededor, por entre los pliegues de los grandes cortinajes de la cama, asomaban extrañas cabezas, unas feas y pavorosas, otras de aspecto dulce y amable. Eran todas las acciones malas y buenas que en

su vida había realizado el emperador y que ahora lo contemplaban, mientras la Muerte se sentaba sobre su corazón.

—¿Te acuerdas? —le susurraban una tras otra—. ¿Te acuerdas? —y le contaron al emperador algunas cosas que hicieron que la frente se le llenara de frío sudor.

—¡No me acuerdo! ¡Eso no es verdad! —decía el emperador—. ¡Música, que suene la música! —gritó—. ¡Que suene el gran tambor chino para que no pueda oír lo que dicen!

Pero siguieron hablándole, y la Muerte asentía, como hacen los chinos, a cada cosa que las cabezas decían.

—¡Música, música! —gritó el emperador—. ¡Mi querido pajarillo de oro, canta, canta! Te he dado oro y riquezas, y yo mismo te he colgado al cuello mi babucha de oro. ¡Canta, te lo ruego, canta!

Pero el pájaro mecánico permanecía callado, porque no había nadie que le diera cuerda, y sin cuerda no podía cantar. La Muerte seguía mirando al emperador con las cuencas vacías de sus ojos. Y el palacio estaba en silencio, un silencio espantoso.

En ese mismo instante se oyó, junto a la ventana, un canto hermosísimo: era el pequeño ruiseñor de verdad, que estaba allí afuera, posado sobre una rama. Había oído hablar de la enfermedad del emperador, y había venido a traerle consuelo y esperanza. Y a medida que cantaba, las cabezas de los cortinajes iban desvaneciéndose, la sangre empezó a circular con más fuerza por los débiles miembros del emperador y hasta la misma Muerte se puso a escuchar y decía:

—¡Sigue, pequeño ruiseñor, sigue!

—¡Lo haré si me entregas el espléndido sable de oro, el magnífico estandarte y la corona imperial! —dijo el ruiseñor.

Y la Muerte le entregó cada una de esas joyas a cambio de una canción, y el ruiseñor siguió cantando, y cantó sobre el silencioso cementerio donde crecen rosas blancas, donde el saúco desprende su aroma y donde la fresca hierba se humedece con las lágrimas de los que visitan a sus seres queridos. Y la Muerte sintió tanta añoranza de su jardín que salió volando por la ventana, como una fría y blanca neblina.

—¡Gracias, muchas gracias! —suspiró el emperador—. ¡Sé quién eres, divino pajarillo! Te expulsé de mi tierra y de mi imperio, y, a pesar de ello, has venido a cantar para mí y con tu canto has alejado de mi cama esos funestos fantasmas y has arrojado a la Muerte de mi corazón. ¿Cómo podré recompensarte?

—¡Ya lo hiciste! —dijo el ruiseñor—. Jamás olvidaré que, la primera vez que canté para ti, me diste tus lágrimas. Las lágrimas son joyas que alegran el corazón de un cantor. Pero ahora duerme y ponte sano y fuerte. Yo cantaré para ti.

El pequeño pájaro gris cantó, y el emperador cayó en un profundo sueño, dulce y reparador.[5]

El sol brillaba en las ventanas cuando despertó, ya recuperado y sano. Ninguno de sus sirvientes había acudido aún, porque creían que el emperador estaba muerto, pero el ruiseñor seguía cantando.

—¡Quédate conmigo para siempre! —dijo el emperador—. Sólo cantarás cuando te apetezca, y al pájaro mecánico lo romperé en mil pedazos.

—¡No hagas eso! —dijo el ruiseñor—. El pájaro mecánico ha cantado lo mejor que podía. Consérvalo. Yo no puedo vivir en tu palacio, pero déjame que venga cuando me apetezca, y por las noches me posaré en esa rama que hay junto a la ventana y cantaré para ti, para que te alegres y medites. Cantaré sobre los que son felices y sobre los que sufren. Cantaré sobre lo bueno y lo malo que sucede a tu alrededor, pero que no puedes ver. Porque el pequeño pájaro cantor vuela lejos hasta el pobre pescador, hasta el tejado de la choza del campesino, hasta todos aquellos que están lejos de ti y de tu Corte. Amo tu corazón más que tu corona, y, sin embargo, siento que la corona tiene una fragancia[6] de algo sagrado. ¡Vendré a cantar para ti! Pero tienes que prometerme una cosa…

---

5 **reparador**: que devuelve las fuerzas.
6 **fragancia**: olor bueno y suave.

—Te prometeré lo que me pidas —dijo el emperador, que se había puesto él mismo su túnica imperial y apretaba contra su corazón su espada de oro.

—Sólo te pido que nunca le digas a nadie que tienes un pajarillo que te lo cuenta todo. Así será mejor.

Y el ruiseñor se marchó volando.

Los sirvientes entraron a ver a su emperador muerto... que les esperaba allí de pie y les dijo:

—¡Buenos días!

El patito feo

El campo estaba precioso: ¡era verano! El trigo estaba amarillo, la avena, verde; el heno[1] había sido apilado en los verdes prados, y por allí caminaban las cigüeñas con sus largas patas rojas hablando en egipcio, la lengua que habían aprendido de sus madres. Espesos bosques rodeaban los campos y los prados, y en lo más profundo de los bosques había hondos lagos. ¡En verdad que era una delicia el campo!

Bañada por el sol se alzaba una vieja casa solariega[2] rodeada por profundos canales, y desde sus gruesos muros hasta el agua crecían grandes romazas.[3] Sus hojas eran muy largas y algunos tallos eran tan altos que los niños podían ponerse de pie entre ellos e imaginarse que estaban en medio de los bosques salvajes. Bajo una de aquellas romazas había construido su nido una pata. Estaba empollando a sus polluelos, pero ya empezaba a har-

---

1 **avena**: planta con espigas que sirve de alimento a los animales; **heno**: hierba segada y seca usada para alimentar al ganado.
2 **casa solariega**: casa grande donde ha vivido una familia durante generaciones.
3 **romaza**: planta de tallo nudoso y rojizo, y de unos 80 cm de altura.

tarse porque tardaban mucho en salir, y casi nadie venía a visitarla. Las otras patas preferían nadar en los canales antes que sentarse bajo las romazas a charlar un rato con ella.

Por fin los cascarones se fueron rompiendo uno tras otro.

—¡Pío, pío! —decían los polluelos. Todas las yemas de huevo habían cobrado vida y asomaban la cabeza.

—¡Cua, cua! —dijo la madre, y los pollitos empezaron a piar con fuerza y a mirar a su alrededor bajo las verdes hojas, y eso era justo lo que la madre deseaba, porque el verde es bueno para los ojos.

—¡Qué grande es el mundo! —dijeron los pequeños, porque ahora tenían mucho más espacio para moverse que cuando estaban en el huevo.

—¡No os vayáis a pensar que lo que veis es el mundo entero! —dijo la madre—. El mundo es mucho más grande. Se extiende más allá de los campos de trigo del cura, aunque la verdad es que yo nunca he llegado hasta allí… ¡Bueno, ya estáis todos! —y al decir esto se levantó y miró a su alrededor—. ¡Qué digo, pero si falta el huevo más grande! ¿Cuánto piensa tardar todavía? ¡Estoy ya tan cansada…! —y se sentó a empollar.

—¿Cómo va todo? —preguntó una vieja pata que vino de visita.

—Hay un huevo que está tardando muchísimo —se quejó la pata—. No se acaba de romper. Pero tienes que ver a los demás. Son los patitos más preciosos que has visto en tu vida. Todos se parecen a su padre, el muy sinvergüenza, que no ha venido a verme ni una sola vez.

—Déjame ver el huevo que no se abre —dijo la vieja—. ¡A que es un huevo de pava! A mí también me engañaron una vez, y no te imaginas lo mal que lo pasé, porque los pollitos de pava le tienen miedo al agua. Yo graznaba y los empujaba, pero no había forma de que se echaran al agua. Déjame ver el huevo. ¿Qué te he dicho? ¡Es un huevo de pava! Déjalo ahí y ve a enseñarles a nadar a los pequeños.

—No, voy a seguir empollándolo un poco más —dijo la pata—. Llevo tanto tiempo empollando que ya no me viene de ahí.

—Allá tú —dijo la vieja, y se fue.

Por fin se rompió el huevo grande.

—¡Pío, pío! —dijo el pollito, y salió dando tumbos.

Era enorme y muy feo. La pata lo miró.

—¡Es un patito terriblemente grande! —dijo—. No se parece a ninguno de los otros. ¿Será un pollito de pava? Pronto lo sabremos. Va a ir al agua aunque yo misma tenga que empujarlo.

Al día siguiente hacía un tiempo espléndido. El sol lucía en las verdes romazas. La madre pata se llevó a todos sus polluelos al canal y, ¡plas!, saltó al agua.

—¡Cua, cua! —ordenó a sus pollitos, y, uno tras otro, todos se tiraron al agua. Las cabezas desaparecieron bajo el agua, pero al instante volvieron a emerger y todos los polluelos flotaron como un corcho. Las patitas se les movían por sí solas, y todos los pollitos nadaban estupendamente, incluso el que era feo y pesado.

—No, no es un pavo —dijo la madre—. No hay más que ver con qué agilidad mueve las patitas, y cómo estira el cuello. ¡Este pollito es hijo mío! Y si uno lo mira bien, es muy lindo… ¡Cua, cua! ¡Venid todos conmigo, que os voy a llevar al mundo y presentaros a los patos del corral! Pero no os alejéis de mí, para que nadie os pise, ¡y llevad cuidado con el gato!

Cuando llegaron al corral de los patos había allí un escándalo enorme, porque dos familias se estaban peleando por la cabeza de una anguila, que al final se llevó el gato.

—¡Ya veis, así es la vida! —dijo la madre pata relamiéndose el pico, porque también a ella le hubiera gustado llevarse la cabeza de la anguila—. ¡Vamos, moveos! —les reprendió—. Y recordad que debéis inclinar la cabeza ante aquella pata vieja de allí, porque es la más noble de todas. Tiene sangre española, y por eso está tan rolliza y tiene una cinta roja atada a una de sus patas: ése es el mayor signo de distinción que se le puede conceder a un pato, y significa que nunca se la podrá quitar de en medio. Todas las aves y todos los seres humanos lo saben. ¡Cua, cua!, no caminéis, contoneaos como hacen los patitos bien educados. Separad las piernas, al igual que papá y mamá. ¡Eso es! Haced una reverencia y decid "¡cua!".

Y así lo hicieron; pero unos patos que andaban por allí se acercaron a los polluelos y dijeron en voz alta:

—¡Anda! ¿Qué hace esta panda por aquí? ¡Como si no fuéramos ya bastantes! ¡Uf, mirad qué feo es ése! ¡Esto no hay quien lo aguante! —y uno de los patos se echó encima del patito feo y le dio un picotazo en el cuello.

—¡Déjalo en paz! —gritó la madre—. ¡No os ha hecho nada malo!

—Puede, pero es demasiado grande y no se parece a nosotros —dijo el pato que le había dado el picotazo—. Hay que darle una buena zurra.

—Vaya criaturas más bonitas que tiene —dijo la vieja pata de la cinta roja—. Todos son muy lindos, menos ése, que no ha salido muy bien. Me gustaría que volviera a empollarlo.

—Eso no es posible, Su Señoría —contestó la mamá pata—. Puede que no sea muy hermoso, pero tiene buen carácter y nada tan bien como los demás, incluso me atrevería a decir que mejor. Confío en que cuando crezca se hará más guapo y no parecerá tan grande. Ha pasado demasiado tiempo en el huevo, y por eso no tiene el tamaño adecuado —y entonces le alisó las plumas del cuello con el pico—. Además, es un macho —añadió—, así que no importa tanto si es feo o guapo. Será muy fuerte y sabrá abrirse camino en el mundo.

—Los otros patitos son graciosos —dijo la vieja—. En fin, consideraos como si estuvieseis en casa, pero si encontráis una cabeza de anguila, traédmela.

Y se sintieron como si estuviesen en casa.

Pero el pobre patito que había salido el último del huevo y que era tan feo tuvo que aguantar picotazos, empujones y burlas de las gallinas y de los patos.

—¡Es demasiado grande! —decían todos.

Y el pavo, que había nacido con espolones⁴ y por eso se creía un emperador, se infló como si fuera un barco a toda vela, se fue derecho hacia el patito feo y empezó a hacer glu-glu hasta que la cabeza se le puso colorada como un tomate.

El pobre patito no sabía dónde meterse, y se sentía muy desgraciado por ser tan feo y porque todo el corral se burlaba de él.

Eso ocurrió el primer día, pero los siguientes todo fue de mal en peor. Todos perseguían y maltrataban al pobre patito, y hasta sus hermanos y hermanas lo despreciaban diciéndole:

—¡Ojalá te atrape el gato, adefesio!

---

4 **espolón**: parte ósea y sobresaliente de la pata de las aves.

Hasta su madre le decía:

—Cuánto desearía que no estuvieras aquí…

Y los patos le daban picotazos y las gallinas lo picaban y la muchacha que traía de comer a las aves le daba puntapiés.

Al fin el patito echó a correr y voló por encima del seto. Y los pajarillos de los arbustos salieron volando asustados. «Es por lo feo que soy», pensó el patito, y cerró los ojos, pero no paró de correr. De esta forma llegó a la gran ciénaga donde vivían los patos salvajes; y allí decidió pasar la noche, pues se sentía muy cansado y triste.

A la mañana siguiente los patos salvajes levantaron el vuelo y descubrieron al nuevo compañero.

—¿Tú qué eres? —le preguntaron.

Y el patito feo hizo reverencias a todos lados, porque sabía que ése era un saludo cortés.

—¡Mira que eres feo! —dijeron los patos salvajes—, pero eso a nosotros nos trae sin cuidado, siempre y cuando no pretendas casarte con alguien de nuestra familia.

El pobre patito no estaba pensando precisamente en casarse; a lo más que aspiraba era a que le permitiesen nadar entre los juncos y beber un poco de agua de la ciénaga.

Allí se pasó dos días enteros; al cabo, llegaron dos gansos salvajes. No hacía mucho que habían salido del huevo, así que eran muy descarados.

—Oye, colega —le dijeron—, eres tan feo que nos gustas. ¿Quieres venir a emigrar con nosotros? No muy lejos de aquí hay una ciénaga en la que viven unas preciosas gansas salvajes. Todas son solteras y dicen unos "cua" que enamoran. Es la ocasión para conseguir tu felicidad, por feo que seas…

En ese instante se oyeron dos disparos, "¡pim, pam!", y los dos gansos salvajes cayeron muertos entre los juncos, y el agua se tiñó de sangre. "¡Pim, pam!", volvió a oírse, y una bandada de gansos echó a volar. Y otra vez sonaron los disparos. Era una gran cacería. Los cazadores rodeaban toda la ciénaga, y algunos incluso se habían apostado[6] en las ramas de los árboles que se extendían por encima de los juncos. El humo azul de las armas se elevaba formando pequeñas nubes entre los oscuros árboles y se quedaba flotando sobre el agua. Los perros llegaron chapoteando por la ciénaga, "¡chaf, chaf!", y a su paso inclinaban y rompían los juncos.

El pobre patito estaba horrorizado. Iba a esconder su cabeza bajo el ala cuando se le apareció un perrazo tremendo con la lengua colgándole un palmo y los ojos centelleantes. Acercó su hocico al patito, le mostró sus afilados dientes y… ¡chaf!, se marchó sin tocarlo.

---

6 **apostarse**: situarse en un sitio al acecho, como en la caza.

«¡Oh, gracias a Dios!», suspiró el patito. «Soy tan feo que ni siquiera el perro quiere morderme».

Y allí se quedó inmóvil, mientras los perdigones silbaban entre los juncos y sonaba un disparo tras otro.

Hasta llegada la media tarde no volvió el silencio; pero el pobre patito estaba tan asustado que todavía esperó varias horas antes de sacar la cabeza del ala, mirar a su alrededor y alejarse de la ciénaga a todo correr. Atravesó campos y prados, pero un fuerte viento le impidió avanzar demasiado.

Al caer la tarde llegó a una pobre choza de labradores. Estaba tan miserable y arruinada que sólo se mantenía en pie porque no sabía de qué lado caerse. El ventarrón soplaba tan fuerte que el pobre patito tenía que sentarse sobre la cola para que no se lo llevase el viento. Entonces vio que la puerta se había salido de una de sus bisagras y había dejado un resquicio[7] por el que podía colarse en la choza sin que nadie lo viera. Y así lo hizo.

En la choza vivía una vieja con un gato y una gallina. El gato se llamaba Hijito y sabía arquear el lomo y ronronear, pero también sabía echar chispas si se lo acariciaba a contrapelo. La gallina tenía las patas muy cortas, y por eso se llamaba Clo-clo Patas-cortas. Ponía buenos huevos, y la vieja la quería como si fuera su propia hija.

Por la mañana la gallina y el gato descubrieron al patito, y el gato se puso a ronronear y la gallina a cacarear.

—¿Qué pasa? —dijo la mujer mirando a su alrededor, pero como no veía bien pensó que el patito era un pato gordo y creci-

---

7 **bisagra**: pieza de metal, formada por dos partes, que hace que una puerta pueda girar; **resquicio**: grieta que queda entre la puerta y el marco.

do que se había extraviado—. ¡Qué sorpresa tan agradable! Ahora tendré huevos de pata, a menos que sea un macho. En fin, ya se verá.

Así que el patito fue admitido a prueba durante tres semanas, pero no puso ningún huevo.

El gato era el señor de la casa y la gallina, la señora. Siempre decían: «Nosotros y el mundo», porque pensaban que ellos eran la mitad del mundo y, de las dos mitades, la mejor. El patito no pensaba de ese modo, pero la gallina no le dejó expresar su opinión.

—¿Sabes poner huevos? —le preguntó la gallina.

—No.

—Pues más vale que te calles.

Y el gato le preguntó:

—¿Sabes arquear el lomo, ronronear o echar chispas?

—No.

—Pues entonces no tienes derecho a opinar cuando habla la gente sensata.

Y el patito fue a sentarse a un rincón, de muy mal humor. Entonces se puso a pensar en lo bien que se estaría al aire libre y a la luz del sol, y le entraron muchas ganas de nadar en el agua. Al final no lo pudo resistir más y se lo dijo a la gallina.

—¡Qué cosas se te ocurren! —le respondió la gallina—. Claro, como no tienes nada que hacer, te dan esos antojos. Pon huevos o ronronea, y verás cómo se te quitan esas ideas de la cabeza.

—Es que no te puedes imaginar el gusto que da nadar —dijo el patito—. ¡Es tan agradable meter la cabeza en el agua y zambullirse hasta el fondo!

—¡Pues menuda diversión! —dijo la gallina—. ¿Es que se te ha ido la chaveta? Pregúntale al gato, que es el ser más listo que conozco, si le gusta nadar o zambullirse en el agua. No hace falta que me creas a mí, si no quieres. Pregúntale a nuestra ama, la vieja, que es la persona más lista del mundo. ¿Crees que a ella se le ocurre irse a nadar o meter la cabeza bajo el agua?

—¡No me comprendéis! —dijo el patito.

—Claro que no te comprendemos. ¿Pero crees que alguien te va a comprender? ¿No pretenderás ser más listo que el gato y que la vieja, por no hablar de mí? ¡No seas creído, chaval, y da gracias al Creador por todo lo que ha hecho por ti! ¡Estás en una habitación calentita y rodeado de gente inteligente de la que puedes aprender mucho, y lo único que se te ocurre es decir una tontería tras otra! ¡Te aseguro que hablar contigo no resulta nada divertido! Créeme, no te digo más que la verdad, y te la digo por tu bien. Así es como se reconoce a un verdadero amigo, porque te dice la verdad, aunque sea muy desagradable. Y ahora lo que tienes que hacer es poner huevos o aprender a ronronear, a arquear el lomo y echar chispas.

—Creo que me iré a correr mundo —dijo el patito.

—Pues ya te puedes ir —replicó la gallina.

Y el patito se marchó. Encontró un lago donde pudo nadar y zambullirse, pero los demás animales no le hacían ni caso de lo feo que era.

Llegó el otoño. Las hojas se volvieron amarillas y luego marrones, después cayeron al suelo, el viento las atrapó y las hizo danzar bajo el cielo frío. Las nubes pasaban cargadas de nieve y granizo, y sobre la cerca se posaba el cuervo y graznaba: «¡Au, au!», de tanto frío como tenía. Sólo de pensar en el frío que hacía uno se echaba a temblar, así que podéis figuraros lo mal que lo pasó el patito.

Una tarde, cuando el sol se ponía con todo su esplendor, una bandada de hermosos y grandes pájaros salió de entre los arbustos. El patito no había visto nunca aves tan preciosas: tenían un plumaje tan blanco que resplandecía, y sus cuellos eran largos, flexibles y elegantes. Eran cisnes. De repente lanzaron un grito extraño, extendieron sus grandes y poderosas alas y se marcharon volando hacia países más cálidos, huyendo de los fríos lagos, en dirección al mar abierto. Subieron alto, muy alto, y volaron en círculo, de manera que el patito feo, siguiéndolos con la vista,

giró en el agua como una peonza, estiró el cuello hacia los cisnes y lanzó un grito tan agudo y extraño que hasta él mismo se asustó.

¡Oh, jamás olvidaría a aquellos pájaros tan maravillosos y felices! Al perderlos de vista, se zambulló hasta el fondo, y cuando volvió a emerger estaba como fuera de sí. No sabía cómo se llamaban aquellos pájaros, ni hacia dónde volaban, pero los amaba como jamás había amado a nadie. No los envidiaba, porque ni siquiera se le ocurría desear ser tan hermoso como ellos; se hubiera contentado con que los patos del corral le hubiesen aceptado entre ellos, ¡a él, un pobre pájaro tan feo!

Y aquel invierno hizo muchísimo frío. El patito se veía obligado a nadar sin parar con el fin de que el agua no se helase; pero el círculo en que nadaba se estrechaba cada noche; a su alrededor se oía crujir la capa de hielo. El patito tenía que mover constantemente las patas para que el círculo de hielo no se cerrase en torno a él. Al final ya no pudo más, y se quedó quieto y helado, atrapado por la capa de hielo.

A la mañana siguiente, temprano, lo vio un campesino que pasaba por allí. Se acercó a él, rompió el hielo golpeándolo con sus zuecos,[8] liberó al patito y se lo llevó a su mujer. Ya en casa, lo reanimaron.

Los niños querían jugar con él, pero el patito pensó que lo que pretendían era hacerle daño, así que batió las alas, huyó asustado y fue a parar a un cántaro de leche, con lo que la leche acabó derramada por la cocina. La mujer gritó y levantó las manos al cielo, y el patito voló hasta la artesa[9] de la mantequilla y de allí al saco de harina. ¡Vaya pinta tenía! La mujer no paraba de chillar y lo perseguía con el atizador del fuego, los niños corrían tras él y, en su afán de atraparlo, tropezaban entre sí, riendo y gritando. Por suerte, la puerta estaba abierta, así que el patito se escapó de la casa y se escondió entre unos arbustos cubiertos de nieve; y allí se quedó quieto, como atontado.

Sería muy triste contar todas las penalidades y sufrimientos que el patito hubo de padecer aquel duro invierno. Basta con decir que sobrevivió.

Un día estaba tendido entre los juncos de la ciénaga cuando el sol volvió a calentar y se oyó el canto de las alondras… ¡Había llegado la primavera!

Entonces el patito desplegó las alas y, al batirlas, resonaron más fuerte que antes. Sus poderosas alas lo alejaron de la ciéna-

---

8 **zueco**: calzado de madera que sirve para caminar por el barro.
9 **artesa**: recipiente de madera.

ga y, antes de que se diera cuenta, se encontró en un hermoso jardín donde los manzanos florecían y las lilas exhalaban su aroma y colgaban de las largas y verdes ramas sobre los sinuosos[10] canales. ¡Todo era tan hermoso, tan fresco y lleno de verdor! Y justo enfrente de él, salieron de la espesura tres preciosos cisnes blancos, encresparon el plumaje y se deslizaron suavemente sobre el agua. El patito feo reconoció a aquellas magníficas aves y se sintió dominado por una extraña tristeza.

—¡Volaré hacia esos pájaros majestuosos! Seguro que me matarán a picotazos por atreverme, yo, que soy tan feo, a acercarme a ellos. Pero no me importa. Es preferible que ellos me maten a que me picoteen los patos, que me piquen las gallinas, que me patee la muchacha que cuida del corral, y que tenga que padecer el frío del invierno.

Y echó a volar hacia el estanque, se posó en el agua y se acercó nadando hacia los magníficos cisnes. Al verlo, los cisnes erizaron las plumas y se acercaron hacia él.

—Matadme —susurró la pobre criatura, e inclinó la cabeza sobre el agua, en espera de la muerte. Pero, ¿qué es lo que vio en el agua cristalina? Vio su propio reflejo y comprobó que ya no era un torpe pájaro gris, feo y desgarbado:[11] ¡era un cisne!

¡Qué importa haber nacido en un corral cuando se sale de un huevo de cisne!

Entonces se alegró de haber padecido tanta miseria y tantas penalidades, porque esos sufrimientos le hacían valorar la felicidad y la belleza que acababa de encontrar.

---

10 **sinuoso**: que tiene muchas curvas.
11 **desgarbado**: grande, mal proporcionado y de movimientos abandonados.

Los grandes cisnes lo rodearon y lo acariciaron con sus picos.

Unos niños se acercaron al estanque y echaron pan y trigo al agua, y el más pequeño gritó:

—¡Mirad, hay uno nuevo!

Y los otros niños dieron palmadas de alegría y fueron corriendo a buscar a sus padres. Echaron pan y galletas al agua y todos dijeron:

—¡El nuevo es el más joven y el más bonito!

Y los cisnes mayores inclinaron la cabeza, como asintiendo.[12]

Entonces se sintió muy avergonzado y escondió la cabeza bajo las alas sin saber por qué. Era muy feliz, pero no estaba orgulloso, porque un buen corazón nunca es orgulloso. Pensó en cómo lo habían perseguido y se habían burlado de él, y cómo, en cambio, ahora decían que era la más hermosa de las aves más bellas del mundo. Y las lilas se inclinaron con sus ramas hasta tocar el agua, y el sol brilló cálido y resplandeciente. Entonces ahuecó su plumaje, irguió[13] su esbelto cuello y pensó con el corazón desbordante de alegría:

«Jamás soñé que sería tan feliz cuando era un patito feo».

---

12 **asintiendo**: diciendo que sí con la cabeza.
13 **irguió**: estiró.

La pequeña cerillera

Hacía un frío espantoso. Nevaba y estaba empezando a oscurecer. Era la última noche del año, Nochevieja. En medio de aquel frío y aquella oscuridad, una niña caminaba por la calle descalza y con la cabeza descubierta. Bien es verdad que al salir de casa llevaba zapatillas, pero ¿de qué le habían servido? Eran unas zapatillas enormes que habían pertenecido a su madre, y le quedaban tan grandes que la niña las había perdido al cruzar la calle corriendo porque dos coches pasaban a toda velocidad. Una zapatilla no la pudo encontrar, y la otra se la llevó un chico que echó a correr mientras decía que la pensaba usar como cuna cuando tuviese hijos.

Así pues, la niña caminaba con los piececitos descalzos, que se le estaban amoratando de frío. En su viejo delantal llevaba varios manojos de cerillas, y en la mano sostenía un puñado. En todo el día nadie le había comprado un solo manojo ni le había dado un solo céntimo. La pobrecita estaba helada y muerta de hambre, y parecía muy desanimada. Gruesos copos de nieve caían sobre su largo cabello rubio, que se le ensortijaba formando pre-

ciosos rizos dorados; pero a buen seguro que en ese momento ella no estaba pensando en su apariencia. Las ventanas estaban todas iluminadas y hasta la calle llegaba un delicioso olor de ganso asado. ¡Claro, como que era Nochevieja!, y eso es lo que en realidad estaba pensando.

En un rincón entre dos casas, una de las cuales sobresalía más que la otra, la niña se acurrucó en el suelo. Se sentó encima de las piernas para entrar en calor, pero aún sintió más frío. Sin embargo, no se atrevía a volver a casa porque estaba segura de que su padre le pegaría por no haber vendido una sola cerilla ni haber conseguido un solo céntimo. Además, en su casa hacía también mucho frío, ya que estaba cubierta por un techo lleno de agujeros por los que entraba silbando el viento, por más que hubieran tapado los agujeros más grandes con paja y trapos.

La niña tenía las manos ateridas de frío. ¡Ah, si encendiera una cerilla, algo se calentaría...! Si tan sólo se atreviese a sacar una del manojo y rascarla contra la pared para calentarse los dedos... Sacó una. «¡Ris!». ¡Oh, cómo chisporroteaba, cómo calentaba! Era una llama caliente y clara, y al rodearla con su mano le pareció como una velita, pero una velita muy curiosa, porque la niña se imaginó que estaba sentada ante una gran estufa de hierro con resplandecientes adornos y bolas de latón. El fuego ardía vivamente y calentaba que daba gusto. Pero ¿qué era aquello? La niña había estirado también los pies para calentárselos cuando de pronto la llama se apagó y la estufa se desvaneció. Y allí que se quedó ella sentada con un cabo de cerilla en la mano.

Rascó otra cerilla contra la pared. Se encendió la llama, resplandeció, y la parte del muro donde se proyectaba la luz se hizo transparente como una gasa; y a través de ella la niña vio una

68

sala cuya mesa estaba puesta
con un blanquísimo mantel
y una vajilla de fina porcelana. Sobre la mesa humeaba
un ganso asado, relleno de
ciruelas y manzanas. Y lo
más sorprendente es que el
ganso saltó de la fuente al
suelo y se fue contoneando,
con el tenedor y el cuchillo
clavados en el lomo, hacia la
pobre niña. En ese preciso instante la cerilla se apagó y ya no
se pudo ver más que el blanco
y frío muro.

Encendió otra. Entonces se
encontró sentada bajo un precioso árbol de Navidad, más
grande aún y más adornado
que el que había visto la
pasada Navidad a través
del cristal de la puerta
del rico comerciante. Un
millar de velas ardía en las
verdes ramas, y estampas
coloreadas, como las que
adornan los escaparates, la
contemplaban. La niña estiró
los brazos… y la cerilla se apagó.

Pero las velas del árbol ascendieron muy alto en el cielo hasta que se convirtieron en brillantes estrellas. Una de ellas cayó, dibujando en el cielo una larga estela de fuego.

—Alguien se está muriendo —dijo la niña, porque su difunta abuela, la única persona que había sido buena con ella, le había dicho: «Cuando una estrella cae, un alma sube al cielo».

Una vez más rascó contra el muro una cerilla que desprendió un enorme resplandor. Y en su centro apareció su abuela, tan luminosa y radiante, tan dulce y bondadosa.

—¡Abuelita! —gritó la niña—. ¡Oh, llévame contigo! Sé que desaparecerás cuando se apague la cerilla. ¡Desaparecerás como la cálida estufa, el apetitoso ganso asado y el maravilloso árbol de Navidad!

Y se apresuró a encender todas las cerillas del manojo porque no quería perder a su abuelita. Las cerillas ardieron con tal brillo que hubo más luz que en pleno día. La abuelita, que nunca había parecido tan alta ni tan hermosa, tomó a la niña en sus brazos y se la llevó volando hacia las alturas, por un camino de gloriosos y felices resplandores, más y más alto, donde no había frío, ni hambre, ni miedo, porque estaban con Dios.

70

Pero en la fría madrugada encontraron a la niña sentada en el rincón de la calle, con las mejillas sonrosadas y una sonrisa en los labios: había muerto congelada la última noche del viejo año. La mañana de Año Nuevo bañó con su luz el pequeño cuerpo yerto,[1] sentado con las cerillas en la mano, de las que un manojo estaba casi consumido.

—Intentaba calentarse —dijo la gente.

Pero nadie supo nunca las bellezas que la niña había contemplado ni a qué gloria la había llevado su abuela, con la entrada gozosa del Año Nuevo.

---

1 **yerto**: sin vida.

La sirenita

Mar adentro, donde las aguas son tan azules como las flores del aciano y tan transparentes como el claro cristal, en un lugar tan profundo que las anclas de los barcos no pueden alcanzarlo, allí vive el pueblo del mar.

Pero no penséis que en esas profundidades no hay más que arena blanca. No, allí crecen árboles y plantas maravillosas, con hojas y tallos tan flexibles que hasta la más leve corriente de agua los hace mecerse como si estuvieran vivos. Y en lo más hondo está el castillo del rey del mar; sus paredes son de coral, sus largas ventanas apuntadas son del ámbar[1] más transparente y el techo está construido con conchas que se abren y se cierran.

El rey del mar era viudo desde hacía muchos años, y su anciana madre gobernaba el castillo. Era una mujer muy inteligente, pero muy orgullosa de su rango; se adornaba la cola con doce ostras, mientras que el resto de la nobleza sólo se podía poner seis. Por lo demás, poseía excelentes cualidades, y la principal

---

1 **ámbar**: material duro y amarillento empleado para hacer objetos de adorno.

era que amaba con locura a sus seis nietas, las princesitas del mar. Las seis eran muy hermosas, pero la menor era la más bella de todas; tenía la piel suave y delicada como un pétalo de rosa y sus ojos eran tan azules como el mar profundo; pero al igual que sus hermanas, carecía de piernas, porque su cuerpo terminaba en una cola de pez.

Las princesitas eran felices jugando con los peces que entraban en el palacio a través de las ventanas de ámbar; pero lo que más les gustaba era cuidar de sus propios jardines en el parque que rodeaba el castillo. Entre árboles azules y rojos que daban frutos dorados y flores de fuego, cada princesita podía cavar y plantar lo que quisiera. Una le dio a su jardín forma de ballena, otra le dio al suyo forma de sirenita y la más pequeña hizo que su jardín fuera circular como el sol, y en él plantó flores del color de sus rayos. Era una niña extraña, callada y pensativa. Mientras que sus hermanas adornaban sus jardines con los objetos más raros que habían recogido de los barcos hundidos, ella había decorado el suyo tan sólo con una estatua que representaba a un jovencito. Había caído al fondo del mar tras un naufragio y estaba tallada en un mármol blanco como la nieve. Junto a la estatua había plantado un sauce llorón rosado cuyas ramas colgaban hasta la arena; parecía que su copa y sus raíces se acercaran para besarse.

Para la pequeña sirena no había mayor placer que oír hablar a su abuela una y mil veces del mundo de más arriba. Le encantaban aquellas historias de barcos y ciudades, seres humanos y animales; y, sobre todo, le fascinaba que allá sobre la tierra las flores olieran (pues eso no ocurría con las flores del fondo del mar), que los bosques fueran verdes y que los peces que se movían entre las ramas cantaran tan dulcemente. Y es que la abuela llamaba "peces" a los pájaros porque de otro modo no la habrían entendido sus nietas, que jamás habían visto un pájaro.

—Cuando cumpláis quince años —dijo un buen día la abuela—, se os permitirá subir a la superficie del mar, sentaros en los arrecifes[2] a la luz de la luna y ver pasar a los grandes barcos. Si os atrevierais, podrías acercaros también a la costa y ver las ciudades y los bosques.

Al año siguiente la mayor de las hermanas cumpliría quince años, así que la pequeña aún tendría que esperar seis largos años antes de poder subir a la superficie del mar para ver cómo era nuestro mundo, a pesar de que ella era la que más lo deseaba. Pero todas se prometieron contarse lo que vieran y lo que más les gustase.

La mayor cumplió por fin quince años, subió a la superficie del mar y, cuando volvió a casa, les contó a sus hermanas muchísimas cosas. Pero lo más hermoso de todo, decía, era tenderse en un banco de arena a la luz de la luna y contemplar la gran ciudad, en la que brillaban luces como miles de estrellas; había oído música, hablar a los seres humanos y tañer las campanas de las iglesias. Y precisamente porque no podía acercarse, todo aquello aún le había atraído más.

¡Oh, con qué atención escuchaba la pequeña a su hermana! Ya le parecía estar oyendo todo aquel bullicio y hasta pensó que las campanas repicaban para ella.

Al año siguiente la segunda hermana ascendió a la superficie del mar. Emergió del agua justo cuando el sol se estaba ponien-

---

2 **arrecife**: roca que está dentro del mar, cerca de la superficie.

do, y el espectáculo que presenció fue grandioso: todo el cielo estaba cubierto de oro y las nubes eran rojas y violetas. Pero cuando la princesa nadó hacia el sol, éste se ocultó, llevándose consigo los colores del mar, del cielo y de las nubes.

La tercera de las hermanas era la más atrevida de todas, y al año siguiente subió nadando por un ancho río y vio colinas verdes con viñedos, castillos y granjas que asomaban entre espesos bosques. En una pequeña cala vio a unos niños que jugaban desnudos en el agua; pero cuando se acercó para jugar con ellos los niños se asustaron y echaron a correr.

La cuarta hermana era la más tímida, y se quedó en alta mar, lejos de la costa. Pero decía que aquél era el lugar más hermoso, y desde allí había podido ver a unos graciosos delfines saltar para ella y a unas enormes ballenas despedir chorros de agua como una fuente.

Cuando le llegó el turno a la quinta hermana era pleno invierno, por lo que el mar estaba verde y en él flotaban icebergs más altos que los campanarios que construían los humanos. Se sentó en uno de los más grandes y, al caer la noche, observó una terrible tormenta con rayos y truenos. En los barcos se arriaron las velas y a los marineros les entró el pánico y el terror.

La primera vez que subían a la superficie del mar, las princesitas quedaban encantadas con todo lo que veían, pero al cabo de un tiempo perdían interés por el mundo que había más arriba y decían que el fondo del mar era el lugar más hermoso que conocían y que en casa se estaba estupendamente.

Aun así, muchas tardes las cinco hermanas mayores se cogían de la mano y subían a la superficie. Tenían unas voces encantadoras, más hermosas que las de cualquier ser humano, y cuando estallaba una tormenta y pensaban que los barcos podían naufragar, iban nadando delante de ellos y entonaban canciones sobre lo bello que era el fondo del mar, y a los marinos les decían que no tuvieran miedo de bajar. Pero los marinos no entendían sus palabras, que confundían con el silbido del viento. Además, nunca podrían ver aquellas maravillas, ya que cuando un barco se hunde los marineros se ahogan, y cuando llegan al castillo del rey del mar ya están muertos.

Cuando sus hermanas subían a la superficie del mar cogidas de la mano, la pequeña se quedaba sola en el fondo, las miraba con tristeza y le entraban ganas de llorar. Pero las sirenas carecen de lágrimas, con lo que su sufrimiento es mucho mayor.

—¡Ay, cuánto desearía tener quince años! —decía la sirenita—. Estoy segura de que me encantará el mundo de allá arriba y los seres humanos que lo habitan.

Por fin cumplió los quince años.

—Bueno, ya ha llegado tu hora —dijo su abuela—. Ven para que te adorne como a tus hermanas.

Y le puso una guirnalda de lirios blancos en el pelo y ordenó a ocho ostras que se pegaran a la cola de la sirenita, para que todo el mundo supiera que era una princesa.

—¡Uy, cómo duele! —exclamó la sirenita.

—Sí, el rango obliga a sufrir un poco —dijo la abuela.

¡Cómo le hubiera gustado a la sirenita quitarse aquellos adornos y ponerse en el pelo flores rojas de su jardín! Pero no se atrevió a hacerlo.

—¡Hasta la vista! —dijo, y ascendió ligera como una burbuja.

Cuando la sirenita sacó la cabeza del agua el sol acababa de ponerse, pero las nubes todavía estaban teñidas de rosa. El aire era suave y fresco, y el mar parecía un espejo. La princesita vio una nave de tres palos en los que sólo había una vela desplegada, porque no hacía viento. Los marineros escuchaban sentados música y canciones, y a medida que se hizo de noche se fueron encendiendo multitud de luces multicolores: parecía como si banderas de todas las naciones ondeasen al viento. La sirenita se acercó al barco, y a través de sus ventanas pudo ver a mucha gente ricamente vestida, pero el más hermoso de aquellos seres humanos era un joven príncipe con grandes ojos negros. No parecía tener más de dieciséis años, y ésa era, en verdad, su edad. Aquel mismo día celebraban su cumpleaños con una gran fiesta. Los marineros bailaban en cubierta y, cuando el joven príncipe salió para verlos, dispararon centenares de cohetes.

La noche se iluminó como si se hubiera hecho de día y la sirenita se asustó tanto que se sumergió. Al sacar de nuevo la cabeza le pareció como si todas las estrellas del cielo estuvieran cayendo sobre ella. Jamás había visto fuegos artificiales. Grandes soles giraban, bellísimos peces de fuego ascendían por el cielo azul y sus luces se reflejaban en el oscuro espejo del mar. El barco estaba tan iluminado que todo se veía a la perfección. ¡Oh, qué guapo era el joven príncipe! Sonreía y le estrechaba las ma-

nos a todo el mundo, mientras la música sonaba en el silencio de la noche.

Se hacía tarde, pero la sirenita no podía apartar los ojos del barco y del apuesto príncipe. Los marineros apagaron las luces multicolores y dejaron de lanzar cohetes al aire, pero de las profundidades del mar surgió un estruendo. Las olas empezaron a mecer a la sirenita y el barco comenzó a navegar más y más deprisa al tiempo que los marineros desplegaban sus velas. Las olas crecían y negros nubarrones se acercaban por el horizonte. Cayó un rayo y se desató una horrible tempestad.

Al darse cuenta del peligro, los marineros recogieron las velas. El gran barco se balanceaba a impulso de las gigantescas olas que se levantaban como montañas dispuestas a tragarse el buque y romper su orgulloso mástil. El barco crujía y se quejaba a cada golpe de mar. De repente el mástil se partió y el buque se inclinó de un lado, con lo que el agua lo inundó.

La sirenita comprendió entonces que los hombres estaban en peligro; ella misma tenía que esquivar el golpe de los maderos que las olas lanzaban contra ella. Buscó al joven príncipe entre los aterrorizados hombres que buscaban a qué aferrarse, y lo vio un instante justo cuando el barco se iba a pique.

Al principio se alegró mucho, pensando que el príncipe lo acompañaría al fondo del mar. Pero entonces recordó que los seres humanos no pueden vivir en el agua y que el príncipe ya estaría muerto cuando llegara al castillo de su padre. ¡No, no permitiría que muriese! Así que se zambulló para buscarlo, olvidando que los restos del naufragio que flotaban en las turbulentas aguas podían aplastarla. Al fin lo encontró justo en el momento en que al príncipe le fallaban las fuerzas y apenas podía

mantenerse a flote en aquel mar embravecido. El príncipe cerró sus bellos ojos, esperando la muerte, y se habría ahogado si la sirenita no hubiera acudido en su ayuda. Ella le mantuvo la cabeza por encima del agua y dejó que las olas los arrastraran a donde quisieran.

Al amanecer, la tormenta había cesado. No se veía ni el menor rastro del barco naufragado. Salió el sol, rojo y radiante, y sus rayos colorearon las mejillas del príncipe, aunque sus ojos permanecían cerrados. La sirenita le besó su hermosa frente y le acarició su cabello mojado. Pensó que se parecía a la estatua de su jardín. Volvió a besarlo y deseó ardientemente que sobreviviera.

De pronto vio la tierra firme y altas montañas cubiertas de nieve que se elevaban en el cielo azul. Cerca de la costa había un frondoso bosque junto al que se levantaba una iglesia o un convento con un jardín lleno de limoneros y naranjos. El mar formaba en aquel lugar una caleta de aguas tranquilas y profundas. La sirenita nadó hacia allí con el príncipe y lo tendió en una playa de fina arena blanca, cuidando de que la cabeza recibiera la cálida luz del sol.

Repicaron entonces las campanas del gran edificio blanco, y un grupo de muchachas salió al jardín. La sirenita fue a esconderse tras unas rocas, se cubrió la cabeza con algas para que no la descubriesen y esperó a ver si alguien se acercaba al pobre príncipe.

No pasó mucho rato antes de que una muchacha se llegara hasta él. Al principio pareció asustarse, pero enseguida se recobró y llamó a las otras. Se acercó mucha gente, y el príncipe abrió

los ojos y sonrió a cuantos le rodeaban, pero no miró hacia el mar, donde la sirenita se asomaba tras una roca. ¿Pero cómo podía saber el príncipe que ella lo había salvado y que se encontraba allí? La sirenita se sintió muy triste y, cuando se llevaron al príncipe al gran edificio blanco, se sumergió apenada en el agua y regresó al palacio de su padre.

Cuando sus hermanas le preguntaron qué había visto, no les dijo nada. Siempre había sido callada y pensativa, pero desde entonces lo fue mucho más.

Muchas tardes y mañanas regresaba al lugar donde había dejado al príncipe. Vio cómo los frutos del jardín maduraban y eran recogidos, cómo se fundía la nieve de las montañas, pero al príncipe no lo volvió a ver, así que cada vez regresaba más triste a casa. Su único consuelo era abrazar la estatua de su jardín, que tanto se parecía al príncipe; pero ya no cuidaba de las flores y las plantas, que crecían enmarañadas.

Al final ya no lo pudo soportar más y se lo contó todo a sus hermanas y a algunas amigas íntimas. Una de ellas conocía al príncipe y sabía dónde estaba su reino.

—¡Ven, hermanita! —le dijeron las otras princesas.

Y cogidas del brazo, fueron nadando hacia donde estaba el palacio del príncipe.

Estaba construido con resplandecientes piedras amarillas y tenía varias escalinatas de mármol, una de las cuales descendía hasta el mar. Magníficas cúpulas doradas coronaban el tejado, y entre las columnas que rodeaban el edificio había estatuas de mármol que parecían vivas. A través de las altas ventanas se podían ver espléndidos salones, cuyas paredes estaban recubiertas por tapices, cortinas de seda y los más bellos cuadros.

Ahora ya sabía la sirenita dónde vivía el príncipe, así que muchas tardes y muchas noches nadaba hacia aquel lugar. Llegaba por un estrecho canal hasta un extremo del palacio, y allí, bajo un balcón de mármol, se sentaba a contemplar al joven príncipe, que creía que estaba a solas a la luz de la luna.

Muchas tardes lo veía navegar en su majestuoso barco, acompañado de sus mejores músicos. Lo observaba oculta entre los verdes juncos, y si alguien veía su velo blanco flotando al viento, pensaba que era un cisne batiendo las alas.

Muchas noches oía a los pescadores hablar de lo bueno que era el príncipe, y ella se alegraba mucho de haberle salvado la vida cuando lo encontró medio muerto entre las olas. Recordaba con cuánta dulzura lo había besado mientras en su pecho reposaba la cabeza del príncipe. Pero él nada sabía de esto, ni siquiera lo podía imaginar.

La sirenita cada vez amaba más a los seres humanos y cada vez deseaba más irse a vivir entre ellos. El mundo de los humanos le parecía mucho más grande que el suyo propio. Ellos podían navegar en barcos por el mar y subir a las montañas hasta sobrepasar las nubes. La tierra se extendía más allá de los campos y los bosques. La sirenita deseaba saber muchas cosas que sus hermanas no le podían explicar, así que decidió ir a preguntarle a su abuela. Ella conocía muy bien el "mundo superior", que era como llamaba a las tierras que había encima del mar.

—Si los seres humanos no se ahogan —le preguntó—, ¿viven entonces para siempre? ¿No mueren como nosotros, la gente del mar?

—¡Claro que sí! —respondió la abuela—. Ellos también mueren, y su vida no es tan larga como la nuestra. Nosotros podemos vivir trescientos años, pero cuando morimos nos convertimos en espuma de mar: ni siquiera tenemos una tumba donde nuestros seres queridos nos puedan llorar. También carecemos de alma inmortal, así que no podemos aspirar a otra vida. Somos como los verdes juncos, que cuando se cortan no reverdecen. Pero los seres humanos tienen almas que viven después de que sus cuerpos se hayan convertido en polvo. Ascienden hasta el cielo donde lucen las estrellas. Del mismo modo en que nosotros ascendemos hasta la superficie de las aguas para contemplar el mundo de los seres humanos, sus almas ascienden hacia maravillosos lugares desconocidos, que nosotros jamás podremos ver.

—¿Por qué nosotros no podemos tener alma inmortal? —preguntó la sirenita con tristeza—. Daría con gusto los trescientos años que tenemos de vida para ser humana un solo día, con tal de poder vivir en ese mundo celestial.

—No deberías pensar eso —dijo la abuela—. Nosotros vivimos más felices aquí abajo que los seres humanos allá arriba.

—Pero yo me moriré y me convertiré en espuma del mar, y no volveré a oír la música de las olas ni a ver las hermosas flores o el sol ardiente. ¿No puedo hacer nada para conseguir un alma inmortal?

—No —dijo la anciana—, a no ser que un hombre te ame tanto que signifiques para él más que su madre y su padre. Si sólo piensa en ti y te entrega todo su amor, y un sacerdote pone su mano derecha sobre la tuya, mientras él te promete fidelidad y amor eternos, entonces y sólo entonces entrará en tu cuerpo un alma y podrás participar de la felicidad humana. Pero eso nunca sucederá. Porque lo que en el fondo del mar consideramos más hermoso, que es nuestra cola de pez, allí arriba en la tierra les parece feo. No tienen gusto. Para que te consideren hermosa en la tierra debes tener dos torpes columnas, que llaman piernas.

La sirenita suspiró y miró con tristeza su cola de pez.

—Seamos felices —prosiguió la abuela—. Podemos bailar, nadar y saltar durante trescientos años. No es poco tiempo. Esta noche vamos a dar un baile en palacio.

El lujo y el esplendor del salón de baile jamás se habían visto en la tierra. Las paredes y el techo eran de cristal grueso y transparente. Centenares de gigantescas conchas verdes y rosas se ali-

EL RUISEÑOR Y OTROS CUENTOS

neaban junto a las paredes y desprendían llamas azules que iluminaban el interior del salón y todo el mar. Innumerables peces de todos los tamaños se acercaban a las paredes de cristal: unos eran de color púrpura; otros, plateados o dorados. En medio del salón danzaban con grácil ligereza sirenas y tritones al melodioso son del canto de las sirenas: voces tan bellas jamás se han oído entre los humanos. Todos aplaudieron a la sirenita, y por un momento ella se sintió feliz, pues sabía que ninguna otra voz del mar o de la tierra era más bella que la suya.

Pero de pronto se puso a pensar en el mundo de arriba. No podía olvidar al hermoso príncipe ni el dolor que sentía por carecer de un alma inmortal como la que él tenía. Así que se marchó del palacio, donde todo eran cantos y alegría, y fue a ocultar su tristeza en su jardín. Al poco oyó el sonido apagado de una música que provenía de la superficie del mar, y pensó:

«Ahora estará navegando por allá arriba aquél a quien amo más que a mi padre y a mi madre, aquél que ocupa todos mis pensamientos y en cuyas manos está toda mi esperanza de felicidad. Haría cualquier cosa por conquistarlo y conseguir un alma inmortal. Mientras mis hermanas se divierten en el palacio, iré a visitar a la bruja del mar; siempre me ha dado miedo, pero quizá ella sepa cómo ayudarme».

La sirenita abandonó el jardín y se dirigió hacia el turbulento remolino detrás del cual vivía la bruja. Nunca había pasado por aquellas aguas en las que no crecían flores ni algas: sólo un gris y desnudo suelo arenoso se extendía hasta el centro del torbellino, que arrastraba a las profundidades todo lo que se le acercaba. Para llegar a los dominios de la bruja había que atravesar aquel espantoso torbellino y luego una planicie de barro burbujeante.

La bruja vivía en medio de un extraño bosque. Los árboles y los arbustos eran pólipos, mitad animal y mitad planta, que parecían serpientes de cien cabezas que surgieran del suelo. Las ramas eran largos brazos viscosos con dedos que no paraban de retorcerse como gusanos. Cualquier cosa que podían atrapar la sujetaban con fuerza y ya no la soltaban.

La sirenita se sentía tan asustada que a punto estuvo de retroceder. Pero pensó en el príncipe y en su alma inmortal, y se armó de valor. Se recogió su larga melena alrededor de la cabeza para que los pólipos no pudieran agarrarla por los cabellos, juntó las manos sobre el pecho y se lanzó tan rápida como un pez entre los espantosos pólipos, que extendían hacia ella sus viscosos brazos. Observó que todos los pólipos habían atrapado algo y lo sujetaban con fuerza con cientos de pequeños brazos. Entre sus garras pudo ver blancos esqueletos de seres humanos, timones y otros restos de barcos, huesos de animales, y, lo que más la horrorizó, una sirenita que había sido atrapada y estrangulada.

Enseguida llegó a un claro del bosque en cuyo suelo pantanoso jugueteaban unas anguilas de repugnantes vientres amarillos. En medio del claro se alzaba una casa construida con huesos de marineros naufragados. Y a la puerta estaba la bruja, sentada tranquilamente mientras dejaba que un sapo comiera de su boca.

—Ya sé lo que quieres —dijo la bruja—. Es una locura. Pero se cumplirá tu deseo, princesita, aunque sea tu perdición. Quieres librarte de tu cola de pez y sustituirla por dos columnas que te sirvan para caminar como los seres humanos, pues crees que de ese modo el príncipe se enamorará de ti y tú conseguirás un alma inmortal.

Y la bruja se rió de forma tan malévola y estrepitosa que el sapo y las anguilas se cayeron de cabeza al barro.

—Has llegado en el momento oportuno —prosiguió—, pues a partir de mañana no te habría podido ayudar hasta que hubiera pasado un año. Voy a prepararte un brebaje, y, antes de que salga el sol, deberás nadar hasta la costa, sentarte en la playa y beberte la poción. Entonces la cola se te partirá en dos y se acortará hasta convertirse en lo que los humanos llaman "unas piernas preciosas". Pero te dolerá como si una afilada espada te cortase por la mitad. Todos confesarán que jamás en su vida han visto una muchacha tan bonita como tú. Caminarás con más gracia y elegancia que una bailarina, pero a cada paso que des sentirás que pisas un cuchillo afilado y sangrarás. Si estás dispuesta a soportar estos sufrimientos, yo te ayudaré.

—Lo estoy —dijo la sirenita con voz trémula, pensando en el príncipe y en conseguir un alma inmortal.

—Pero debes recordar —añadió la bruja— que, en cuanto hayas adoptado forma humana, ya no volverás a ser sirena ni podrás regresar con tus hermanas al palacio de tu padre. Y si no consigues que el príncipe te ame tanto que llegue a olvidarse de su padre y de su madre, que sólo piense en ti y que haga que un sacerdote os una en matrimonio, entonces no tendrás un alma inmortal. Al día siguiente de que él se case con otra, se te romperá el corazón y te convertirás en espuma de mar.

—Lo acepto todo —dijo la sirenita, pálida como una muerta.

—Pero me tendrás que pagar —añadió la bruja—, y no es poco lo que voy a pedirte. Tú tienes la voz más hermosa que jamás se haya oído en el fondo del mar, y supongo que piensas hechizar con ella al príncipe. Pero me la tienes que entregar; me has de dar lo más hermoso que posees a cambio de mi valiosa poción, pues la he de preparar con mi propia sangre, para que el brebaje corte como una espada de doble filo.

—Pero si me quitas la voz —dijo la sirenita—, ¿qué me quedará a mí?

—Tu preciosa figura —contestó la bruja—, tus graciosos andares y la belleza de tus expresivos ojos. Habla a través de ellos y conquistarás a cualquier ser humano. ¿Qué te ocurre? ¿Te falta valor? Vamos, saca tu pequeña lengua para que te la corte en pago por mi bebida prodigiosa.

—Que así sea —murmuró la sirenita.

Y la bruja sacó un caldero para preparar la poción mágica.

—Hay que ser muy limpios —dijo mientras fregaba el caldero con un manojo de anguilas que utilizaba como estropajo.

Luego se hizo un corte en el pecho y dejó gotear su negra sangre en el caldero. El vapor que entonces se desprendió formaba las más fantásticas y pavorosas figuras. A cada ingrediente que la bruja echaba al caldero, la pócima hervía con unos ruidos que parecían el llanto de un cocodrilo. Por fin estuvo listo el brebaje, que era transparente como el agua.

—Aquí lo tienes —dijo la bruja.

Y entonces le cortó la lengua a la sirenita, que se quedó muda: ya nunca más podría hablar ni cantar.

—Si los pólipos te atrapan cuando vuelvas a atravesar mi bosque —añadió la bruja—, bastará con que les eches una gota de esta bebida, y sus brazos y dedos se quebrarán en mil pedazos.

Pero la sirenita no tuvo necesidad de hacerlo, pues los pólipos retrocedían horrorizados al ver el brebaje que resplandecía en sus manos como una estrella brillante. Y de ese modo pudo atravesar a salvo el bosque, la ciénaga y los remolinos.

Por fin llegó al palacio de su padre. Habían apagado las luces del gran salón y todos dormían. Pero no se atrevió a despedirse de su familia, pues había decidido abandonarla para siempre y, además, ahora era muda. Sintió como si el corazón se le fuera a partir de dolor. Se deslizó hasta el jardín, cogió una flor de cada una de las parcelas de sus hermanas, le envió a su familia mil besos con la mano y ascendió por el profundo mar azul.

El sol aún no había salido cuando la sirenita llegó al palacio del príncipe y se tendió en la escalinata de mármol. La luna todavía brillaba con intensidad. Nada más beber la ardiente poción, la sirenita sintió como si una espada le atravesara su delicado cuerpo; al instante se desmayó y quedó como muerta.

Cuando el sol se levantó sobre el mar la sirenita se despertó y sintió un dolor abrasador; pero a su lado estaba el hermoso príncipe mirándola con sus ojos negros como el azabache. Ella bajó los suyos y vio que, en lugar de una cola de pez, ahora tenía las piernas más bonitas que una muchacha podría desear. Y como estaba desnuda, se cubrió con sus largos cabellos.

El príncipe le preguntó quién era y cómo había llegado hasta allí, y ella le lanzó una mirada dulce y triste con sus profundos ojos azules, porque no podía hablar. Él la tomó de la mano y la condujo al palacio. A cada paso que daba la sirenita, tal y como la bruja le había advertido, le parecía que pisaba cuchillos afila-

dos, pero ella sufría gustosa aquel tormento. De la mano del príncipe, caminaba ligera como una burbuja, y todos quedaban admirados de la gracia de sus movimientos.

La vistieron con finísimas ropas de seda y muselina. Era la muchacha más bella del palacio, pero era muda y no podía cantar ni hablar. Hermosísimas esclavas vestidas de seda y oro vinieron a cantar ante el príncipe y la familia real. Una de ellas cantaba mejor que las otras, y el príncipe la aplaudió y le sonrió. La sirenita se moría de pena, porque sabía que ella cantaba muchísimo mejor. «¡Oh, si al menos supiera que para estar a su lado he tenido que renunciar a mi voz para siempre…!», pensó.

Luego las esclavas comenzaron a bailar airosas al son de una música encantadora, y entonces ella alzó sus bellos brazos, se elevó sobre la punta de los pies y, más que bailar, flotó sobre el suelo. Nadie había visto nunca bailar así. Con cada uno de sus movimientos se revelaba toda su hermosura, y sus ojos hablaban más al corazón que el canto de las esclavas.

Todos quedaron fascinados, y sobre todo el príncipe, que la llamó "mi pequeña huerfanita". Ella no cesaba de bailar, aunque cada vez que sus piececitos tocaban el suelo sentía como si hubiera pisado un afilado cuchillo. El príncipe dijo que quería que se quedara para siempre a su lado, y entonces le permitieron dormir sobre un almohadón de terciopelo a la puerta del dormitorio del príncipe.

Ordenó que le confeccionasen a la sirenita un traje de hombre para que ella le acompañase en sus paseos a caballo. Cabalgaron a través de perfumados bosques, donde las verdes ramas les acariciaban los hombros y los pajarillos cantaban entre las hojas. Ella trepó con el príncipe a las altas montañas, y los pies le sangraron tanto que todos lo advirtieron; pero, sin perder la sonrisa, ella seguía al príncipe montaña arriba hasta que veían pasar las nubes bajo sus pies, como si fueran una bandada de pájaros que emigraran a tierras extrañas.

De regreso al palacio, mientras todos dormían, la sirenita bajaba por la escalinata de mármol para refrescarse sus ardientes pies en el agua del mar. Y entonces pensaba en su familia.

Una noche llegaron sus hermanas cogidas del brazo y cantando canciones melancólicas. La sirenita les hizo señas, y ellas la reconocieron y le contaron lo tristes que se habían quedado todos tras su partida. Luego regresaron a visitarla todas las noches. Y una vez la sirenita vio a lo lejos a su abuela, que hacía muchos años que no había subido a la superficie del mar, y junto a ella estaba su padre, el rey del mar, con la corona en la cabeza. Le tendían los brazos, pero no se atrevieron a acercarse a la costa tanto como las hermanas.

De día en día el príncipe le iba tomando más y más cariño a la sirenita; sin embargo, la quería como se quiere a una niña bondadosa, y no se le pasaba por la cabeza convertirla en su mujer. Pero ella tenía que ser su esposa, pues de lo contrario no conseguiría un alma inmortal y, al día siguiente de la boda del príncipe, se convertiría en espuma de mar.

«¿Me quieres más que a nadie?», le preguntaba con los ojos cuando el príncipe la abrazaba y la besaba en su hermosa frente.

—Claro que te quiero más que a nadie —contestaba él—, porque tú eres la que tienes mejor corazón. Me eres fiel y te pareces a una muchacha que vi una vez y que quizá no volveré a ver jamás. Yo iba en un barco que naufragó, y las olas me arrastraron hasta la playa, cerca de un sagrado templo donde servían varias muchachas. La más joven de ellas me encontró en la orilla y me salvó la vida. Sólo pude verla dos veces, pero ella es la única mujer en este mundo a la que puedo amar. Como te pareces a ella, casi consigues que su imagen se borre de mi alma. Ella pertenece al sagrado templo, por eso la buena fortuna te ha enviado a mí para que me sirvas de consuelo. ¡No nos separaremos jamás!

«¡Oh, él ignora que fui yo quien le salvó la vida!», pensó la sirenita. «Yo lo llevé entre las olas hasta el bosque donde estaba el templo, y luego me oculté detrás de las rocas a esperar que alguien lo encontrara. ¡Y vi a la hermosa muchacha a la que ama más que a mí!». Y la sirenita suspiró profundamente, pues no podía llorar. «Dice que la muchacha pertenece al templo sagrado y que nunca saldrá de él, así que no se volverán a ver. Pero yo estoy con él y lo veo todos los días. Lo cuidaré, lo amaré y le dedicaré mi vida entera».

Se decía, sin embargo, que al príncipe le había llegado la hora de casarse, y que iba a hacerlo con la hija de un rey vecino, y que por eso se estaba aparejando un magnífico barco. Se anunció que el príncipe iba a visitar el país vecino acompañado de un gran séquito, pero la gente sabía que en realidad viajaba para conocer a la princesa. La sirenita negaba con la cabeza y sonreía, pues ella conocía mejor que nadie lo que pensaba el príncipe.

—No tengo más remedio que ir —le había dicho él—. Mis padres me exigen que vaya a conocer a la hermosa princesa, pero no me pueden obligar a traerla a casa como mi novia. No podría amarla, porque no se parecerá como tú a la muchacha del templo. Si alguna vez tuviera que casarme, lo haría contigo, mi pequeña huerfanita de ojos elocuentes.

Y la besaba en sus rojos labios y acariciaba sus largos cabellos, y ella apoyaba la cabeza sobre el corazón del príncipe y soñaba en la felicidad humana y en un alma inmortal.

—¿Te da miedo el mar, mi pequeña mudita? —le preguntó el príncipe cuando estuvieron a bordo del majestuoso barco que había de llevarlos al reino vecino. Y le habló de tormentas y bonanzas, de los extraños peces que viven en el fondo del mar y de

las cosas que veían los buzos allí abajo. Y ella sonreía al oírle hablar, pues nadie mejor que ella conocía el fondo del mar.

En la clara noche de luna, cuando todos dormían en el barco, salvo el timonel y el vigía, la sirenita se sentó en la borda, fijó su mirada en las aguas transparentes y creyó ver el palacio de su padre. En lo alto de la torre estaba sentada su abuela con una corona de plata en la cabeza, mirando a través de las fuertes corrientes hacia la quilla[3] del barco. Entonces sus hermanas salieron a la superficie del mar y la miraron con tristeza. Ella las saludó con la mano y les sonrió. Quería que supieran que era feliz. Pero en ese momento llegó un grumete[4] y las hermanas se sumergieron, y cuando el chico miró hacia el agua sólo vio espuma del mar.

Al día siguiente el barco arribó al puerto de la magnífica ciudad del rey vecino. Todas las campanas de las iglesias repicaron, en las altas torres sonaron las trompetas, mientras los soldados formaban ondeando banderas y con las brillantes bayonetas caladas.[5]

Todos los días se celebraban banquetes, bailes y fiestas, pero la princesa no asistía a ellos porque aún no había llegado. Todavía se encontraba en el sagrado templo, donde estaba siendo educada para convertirse en reina. Pero al fin llegó.

La sirenita estaba ansiosa por verla y, cuando al fin apareció, hubo de reconocer que en su vida había visto una muchacha tan bella. Tenía la piel fina y delicada, y bajo sus largas pestañas sonreían unos ojos de un azul profundo.

---

3 **quilla**: pieza larga y curva que llevan los barcos por debajo y sujeta el armazón.
4 **grumete**: muchacho que trabaja en un barco y aprende el oficio de marinero.
5 **bayoneta**: cuchillo largo que se coloca (*se cala*) en la punta del fusil.

—¡Eres tú! —exclamó el príncipe—. ¡Tú eres la que me salvó cuando estaba al borde de la muerte en la playa!

Y estrechó entre sus brazos a su novia, que se ruborizó.

—¡Oh, qué feliz soy! —dijo el príncipe a la sirenita—. ¡Ha ocurrido lo que nunca me hubiera atrevido a soñar! Tú compartirás mi felicidad, porque me amas más que nadie.

Y la sirenita le besó la mano y sintió que el corazón se le partía. Al día siguiente de la boda del príncipe ella moriría y se convertiría en espuma de mar.

Echaron al vuelo todas las campanas de las iglesias y los heraldos recorrieron las calles anunciando la boda. En todos los altares ardía aceite aromático en ricas lámparas de plata. Los sacerdotes meneaban los incensarios y el novio y la novia se daban la mano para recibir la bendición del obispo. La sirenita iba vestida

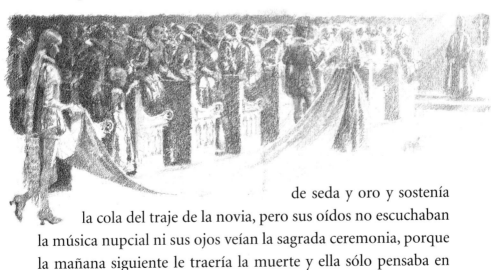

de seda y oro y sostenía la cola del traje de la novia, pero sus oídos no escuchaban la música nupcial ni sus ojos veían la sagrada ceremonia, porque la mañana siguiente le traería la muerte y ella sólo pensaba en todo lo que había perdido en el mundo.

Aquella misma tarde, los novios subieron a bordo del barco del príncipe. Las banderas ondeaban y los cañones dispararon salvas.[5] En la cubierta principal habían levantado una tienda de púrpura[6] y oro, con blandos cojines, donde la dichosa pareja descansaría en la fría y tranquila noche.

Izaron las velas, el viento las hinchó y el barco se deslizó con suavidad sobre las aguas transparentes.

Cuando se hizo de noche, se encendieron lámparas multicolores y los marineros bailaron alegres sobre la cubierta. A la sirenita le vino a la memoria la primera vez que emergió del agua y vio la misma escena. Pero enseguida se mezcló en el alegre baile y se deslizó sobre cubierta al igual que la golondrina vuela en el aire cuando es perseguida. Y todos la aclamaron y la aplaudieron, porque nunca habían visto a nadie bailar así. Cuchillos afilados se clavaban en sus pies, pero ella no sentía aquel dolor, porque era mucho más grande el de su roto corazón. Sabía que era la última noche que vería al príncipe, por quien había sacrificado su dulce voz, por quien había abandonado a su familia y su hogar y por quien día tras día había sufrido indecibles penas sin que él siquiera se diera cuenta. Era la última noche que podía respirar el mismo aire que él o que podría ver el profundo mar o el cielo estrellado. Le esperaba una noche eterna y sin sueños, porque ella no tenía alma ni había podido conseguirla.

Todo fue alegría y diversión en el barco hasta la madrugada; la sirenita no cesaba de bailar y reír con la idea de la muerte oprimiéndole el corazón. Al fin, el príncipe besó a su novia, ella le acarició sus cabellos negros y, cogidos del brazo, ambos se retiraron a descansar en la magnífica tienda.

---

5 **salva**: saludo hecho disparando armas de fuego.
6 **púrpura**: color rojo que tiende a morado.

En el barco se hizo el silencio. Sólo la sirenita y el timonel permanecían despiertos. La sirenita apoyó los brazos en la borda y miró hacia el este, esperando que los rosados dedos de la aurora abriesen paso al sol, cuyos primeros rayos le traerían la muerte.

De pronto surgieron de las aguas sus hermanas, tan pálidas como ella misma; el viento ya no podía jugar con sus largos y hermosos cabellos, porque se los habían cortado.

—Se los hemos entregado a la bruja del mar para que nos ayude a conseguir que no mueras esta noche. Nos ha dado este puñal. ¡Mira qué afilado está! Antes de que amanezca deberás clavarlo en el corazón del príncipe, y cuando su cálida sangre se derrame sobre tus piernas, recuperarás tu cola de pez y volverás a ser una sirena. Podrás sumergirte en las aguas con nosotras y vivir trescientos años, antes de convertirte en espuma de mar. ¡Vamos, apresúrate! O tú o él debéis morir antes de que salga el sol. Nuestra abuela está tan afligida que ha perdido todos sus cabellos, al igual que los nuestros cayeron bajo las tijeras de la bruja. ¡Mata al príncipe y regresa con nosotras! ¡Apresúrate, que ya asoma una luz rosada por el horizonte! ¡Muy pronto se levantará el sol y morirás sin remedio!

Y lanzando un hondo suspiro, desaparecieron bajo las aguas.

La sirenita apartó la cortina púrpura que daba acceso a la tienda y vio a la hermosa novia durmiendo plácidamente, con la cabeza recostada en el pecho del príncipe. Se inclinó y lo besó en la frente. Se volvió y miró al cielo, por donde cada vez se extendían más los rayos de la aurora. Contempló el afilado puñal y volvió a mirar al príncipe, que se removió en el lecho y murmuró en sueños el nombre de su novia. ¡Ah, sólo ella ocupaba sus pensamientos! A la sirenita le tembló la mano con que aferraba el puñal…, pero, de pronto, lo arrojó con fuerza a las olas del mar, que se tiñeron de rojo como si de las aguas brotara un manantial de sangre. Ya con los ojos vidriosos, miró de nuevo al príncipe, y luego se arrojó al mar. Y sintió cómo su cuerpo se convertía en espuma.

El sol apareció por el horizonte, y sus cálidos y suaves rayos acariciaron la fría espuma mortal. Pero la sirenita no sentía la muerte: miraba el claro sol y sobre su cabeza vio flotar miles de seres aéreos y transparentes, a través de los cuales podía distinguir las blancas velas del barco y las nubes rojas; sus voces eran melodiosas, pero tan sutiles que ningún oído humano podía percibirlas; sus figuras eran tan evanescentes[7] que ningún ojo humano podía verlas; se deslizaban ligeros por el aire, aunque carecían de alas.

La sirenita se miró y se dio cuenta de que tenía un cuerpo como el de aquellos seres, y de que se elevaba poco a poco sobre la espuma.

—¿Quiénes sois y adónde me lleváis? —preguntó, y su voz sonó como la de aquellas criaturas, tan bella y melodiosa que no había música terrenal que pudiera comparársele.

—Somos las hijas del aire —respondieron—. Las sirenas no tienen alma inmortal ni la pueden conseguir, a menos que un ser humano les entregue su amor. Para alcanzar la vida eterna, dependéis de otros. Las hijas del aire tampoco poseemos un alma inmortal, pero podemos conseguirla haciendo buenas obras. Volamos a los países cálidos, donde el cargado aire de la peste

---

7 **evanescente**: que se esfuma.

mata a los hombres, y soplamos frescas brisas. Esparcimos por el aire el aroma de las flores que refresca y cura a los enfermos. Si durante trescientos años tratamos de hacer todo el bien que podemos, al final conseguimos un alma inmortal y participamos de la felicidad eterna de los humanos. Tú, pobre sirenita, has intentado conseguir lo mismo con todo el amor de tu corazón. Has sufrido y soportado el dolor con resignación, y por eso te encuentras ahora entre nosotras. Lleva a cabo tus buenas obras, y dentro de trescientos años se te concederá un alma inmortal.

La sirenita elevó sus brazos hacia el sol de Dios, y por primera vez en su vida derramó una lágrima.

En el barco había de nuevo animación. Vio cómo el príncipe y la princesa la buscaban: ambos miraron con tristeza hacia la blanca espuma, como si supieran que ella se había arrojado a las olas. Sin que pudieran verla, besó a la princesa en la frente y le sonrió al príncipe; luego se elevó con las hijas del aire hacia una nube rosada que se deslizaba por el cielo.

—Dentro de trescientos años ascenderé del mismo modo al reino de Dios —dijo.

—Puedes llegar mucho antes —susurró una de las hijas del aire—. Nosotras entramos invisibles en las casas de los humanos, y cuando vemos a un niño bueno, que hace a sus padres felices y merece todo el amor que le entregan, nosotras sonreímos y Dios nos acorta en un año el tiempo de la prueba. Pero si vemos a un niño malo y desobediente en la casa en que entramos, lloramos de pena, y por cada lágrima derramada Dios añade un día a los trescientos años de nuestro tiempo de prueba.

Pulgarcita

Érase una vez una mujer cuyo único deseo era tener un hijo pequeñísimo. Como no sabía qué hacer para conseguirlo, acudió a una vieja bruja y le preguntó:

—Por favor, ¿podría decirme dónde puedo conseguir un niño pequeñito? ¡Desearía tanto tener uno…!

—Eso no es difícil —contestó la bruja—. Aquí tienes un grano de cebada; pero no es de los que crecen en el campo y se dan de comer a los pollos. Plántalo en una maceta y ya verás lo que pasa.

—Muchas gracias —dijo la mujer.

Le dio doce monedas a la bruja y se fue a casa a plantar el grano de cebada. Tan pronto como estuvo plantado empezó a brotar, y creció una flor grande y hermosa, parecida a un tulipán, aunque tenía los pétalos bien cerrados.

—¡Qué flor tan bonita! —exclamó la mujer, besando los pétalos rojos y amarillos. Pero de repente se abrieron los pétalos y la mujer comprobó que se trataba, en verdad, de un tulipán. Y en el centro de la flor, sobre el estigma, apareció una niña minúscula. Era bellísima y muy delicada, y no medía más que una pulgada.[1]

«La llamaré Pulgarcita», pensó la mujer.[1]

Por la noche la niña dormía en una cáscara de nuez lacada, los pétalos azules de unas violetas le servían de colchón y se tapaba con un pétalo de rosa. Durante el día, jugaba sobre una mesa que había junto a la ventana. La mujer le había puesto allí un cuenco de agua adornado con una guirnalda de flores. En este diminuto «lago» flotaba un pétalo de tulipán en el que se sentaba Pulgarcita para navegar de un extremo a otro del recipiente, utilizando como remos dos pelos blancos de caballo. Verla pasearse era una delicia. Pulgarcita cantaba, además, como jamás se había oído, pues su voz era melodiosa, clara y delicada.

Una noche se encontraba durmiendo en su hermosa camita cuando entró un sapo en la habitación a través del cristal roto de una ventana. El sapo, que era grande, viscoso[2] y muy feo, saltó sobre la mesa donde Pulgarcita dormía, tapada con un pétalo de rosa roja.

—Sería una esposa encantadora para mi hijo —dijo la madre sapo; y, cogiendo la cáscara de nuez donde dormía Pulgarcita, saltó a través de la ventana rota y fue a parar al jardín.

Por allí corría un río ancho y grande, en cuya fangosa ribera vivían la madre sapo y su hijo. Éste se parecía mucho a la madre, pues era tan feo y asqueroso como ella.

—¡Croac, croac, croac…! —fue todo lo que dijo el sapo al ver a la bellísima niña en la cáscara de nuez.

---

1 **pulgada**: medida que equivale a 23 mm.
2 **viscoso**: blando y pegajoso.

—¡No hables tan alto que la vas a despertar! —lo riñó su madre—. Podría escaparse y ya no la cogeríamos, pues es más ligera que el plumón de un cisne. La pondré sobre una hoja de nenúfar:[3] será como una isla para ella. Mientras tanto, iremos preparando vuestra casa en medio del barro, para que os vayáis a vivir allí.

En el río crecían muchos nenúfares, y parecía como si todas sus hojas flotaran en el agua. La más grande era la que estaba más alejada de la orilla, y sobre ella puso la vieja sapo la nuez con Pulgarcita dentro.

Al despertarse por la mañana la pobrecita y ver dónde estaba, empezó a llorar amargamente, porque la gran hoja verde estaba rodeada de agua por todas partes y no podía llegar a la orilla.

La vieja sapo estaba muy ocupada decorando la casa de barro con juncos y flores amarillas, que le tendrían que gustar mucho a su nuera. Cuando hubo acabado, se fue nadando con su horrible hijo hacia la hoja de nenúfar donde estaba Pulgarcita. Iban a poner la cama en la habitación nupcial antes de que ella entrara en la casa. La vieja sapo hizo una reverencia, cosa nada fácil cuando se está nadando, y dijo:

—Te presento a mi hijo. Va a casarse contigo. Seréis muy felices en medio del barro.

—¡Croac, croac! —fue lo único que se le ocurrió decir al hijo.

Entonces cogieron la cama y se la llevaron a nado. La pobre Pulgarcita estaba sentada en la hoja verde y no paraba de llorar, pues no quería vivir con aquella horrible madre sapo ni tener por marido a su espantoso hijo.

---

3 **nenúfar**: planta de hojas que flotan en el agua y de grandes flores blancas.

Pero los pececitos que nadaban por allí oyeron lo que la vieja madre había dicho, y sacaron la cabeza fuera del agua para ver a la minúscula niña. Cuando vieron lo bonita que era, les dolió pensar que tenía que casarse con el horrible sapo y vivir en el barro. Ellos no iban a consentir que eso sucediera, no señor, así que se dirigieron al tallo que sujetaba la hoja de nenúfar al fondo del río y se pusieron a mordisquearlo hasta que la hoja quedó libre y la corriente se la llevó río abajo, alejando a Pulgarcita del horrible sapo.

Al ver a Pulgarcita navegar sobre la hoja, los pajaritos de la ribera se pusieron a cantar: "¡Qué niña tan encantadora!". La hoja navegaba más y más lejos, llevando a su pequeña pasajera de viaje a tierras lejanas.

Durante mucho tiempo, una preciosa mariposa blanca la acompañó volando a su alrededor hasta que por fin se posó en la hoja, pues se había encariñado con Pulgarcita. La minúscula niña no paraba de reír, porque estaba contentísima de haber escapado del sapo; y el río estaba tan lindo, todo dorado a la luz del sol… La niña cogió la pequeña cinta de seda que llevaba a la cintura y ató uno de sus extremos a la mariposa y el otro a la hoja de nenúfar: así iría más deprisa.

En eso pasó volando un enorme abejorro; al ver a Pulgarcita, se precipitó sobre ella, la arrebató cogiéndola por la diminuta cintura y se la llevó volando a un árbol. La hoja siguió navegando río abajo, y la mariposa tirando de ella, porque estaba atada a la hoja y no podía soltarse.

¡Dios mío, cómo se asustó la pobre Pulgarcita al ver que el abejorro se la llevaba volando hasta un árbol! Pero lo que más le preocupaba era la linda mariposa que ella misma había atado

con su cinta a la hoja, pues si no conseguía soltarse, iba a morir de hambre.

Pero al abejorro le importaba poco lo que le pasara a la mariposa. Colocó a Pulgarcita sobre la hoja más grande del árbol, le dio de comer miel de flores y le dijo que era la cosa más bonita que había visto jamás, aunque no se parecía en nada a un abejorro. Muy pronto vinieron a visitarlos todos los abejorros que vivían en el árbol. Dos señoritas abejorro movieron las antenas y dijeron:

—¡Si sólo tiene dos patas! ¡Qué desgracia!

—¡No tiene antenas! —dijo otra.

—¡Qué cintura tan fina! ¡Qué asco! ¡Parece un ser humano! ¡Qué fea es! —dijeron todas.

¡Y con lo linda que era Pulgarcita! Así se lo parecía al abejorro que la había capturado, pero tanto insistieron todos en que era fea que al final acabaron por convencerlo. Como no la quería ya, la puso sobre una margarita que había al pie del árbol y le dijo que podía irse a donde quisiera. La pobre Pulgarcita se puso a llorar, pues pensó que debía ser tan fea que ni siquiera un abejorro la quería. Y eso que era más bonita de lo que os podéis imaginar y más fina y delicada que el más bello pétalo de rosa.

La pobre Pulgarcita se pasó todo el verano sola en el bosque. Tejió una hamaca con hierba y la colgó bajo una hoja de romaza para no mojarse cuando lloviera. Se alimentaba de la miel de las flores y bebía el rocío que cada mañana se depositaba sobre las hojas.

Pasó el verano y luego el otoño. Y entonces llegó el invierno, el largo y frío invierno. Todos los pájaros que cantaban tan dulcemente se fueron volando. Las flores se marchitaron, a los árboles se les cayeron las hojas y la hoja de romaza que la había protegido se enroscó y se convirtió en una especie de tallo seco y amarillo. Pulgarcita pasaba un frío horrible porque tenía la ropa hecha jirones; y ella era tan fina y delicada...

No muy lejos del bosque había un campo muy grande en donde se cultivaban cereales; tan sólo unos pocos rastrojos atravesaban todavía la capa congelada del suelo y apuntaban al cielo. Para Pulgarcita estas pajas eran como un bosque. Temblando de frío, vagó por aquel terreno hasta que llegó a la madriguera de una rata de campo. Era sólo un pequeño agujero en el suelo, pero en lo más profundo vivía la rata de campo en una casita cálida y confortable, con una despensa bien abastecida y una bonita cocina. Como una pordiosera, Pulgarcita tocó a la puerta y pidió sólo un grano de cebada, porque hacía ya varios días que no comía.

—Pobrecita —dijo la ratita de campo, que tenía muy buen corazón—. Acompáñame al comedor, que está muy calentito, y cena conmigo.

Como Pulgarcita le cayó bien, añadió:

—Puedes quedarte aquí todo el invierno, pero debes arreglarte la habitación y contarme todos los días un cuento, porque me gustan mucho los cuentos.

Pulgarcita hizo lo que la bondadosa ratita le ordenó, y vivió muy feliz.

—Pronto tendremos visita —dijo la ratita—. Mi vecino viene a vernos una vez por semana. Vive con más comodidades que yo. Tiene grandes salones y lleva puesta una preciosa piel de terciopelo negro. Si quisiera casarse contigo, vivirías como una reina. Pero no puede verte, porque es ciego, así que tendrás que contarle los cuentos más bonitos que sepas.

Pero Pulgarcita no quería casarse con el vecino de la rata de campo, porque era un topo. Al día siguiente vino de visita, vestido con su abrigo de terciopelo negro. La ratita le dijo que el topo era sabio y rico. Tenía una casa veinte veces más grande que la suya y era, además, muy culto. Pero no le gustaban ni el sol ni las flores bonitas (decía que eran "abominables"), porque no las había visto jamás. Pulgarcita tuvo que cantar para él; y cuando le cantó «Moscardón, vuela, vuela», el topo se enamoró perdidamente de ella porque tenía una voz maravillosa; pero no lo quiso demostrar porque él era muy sensato y no le gustaba dar un espectáculo.

Acababa de excavar una galería desde su propia casa hasta la de sus vecinos, así que invitó a Pulgarcita y a la rata a que la utilizaran siempre que quisieran. Les dijo que no tuvieran miedo

de un pájaro muerto que había en el pasadizo; había muerto hacía sólo unos días. Estaba aún entero, con plumas y pico, y había quedado sepultado en la galería por casualidad.

El topo cogió con la boca un trozo de madera seca y podrida, que brillaba tanto como el fuego en la oscuridad, y fue por delante iluminándoles el camino por el largo pasadizo. Cuando llegaron al lugar donde estaba el pájaro muerto, el topo levantó su ancho hocico y golpeó la tierra hasta hacer un agujero por el que pasara la luz. Casi obstruyendo la galería, había una golondrina muerta con sus hermosas alas bien pegadas al cuerpo, las patas casi ocultas por las plumas y la cabeza posada delicadamente bajo un ala. El pobre pájaro debía de haber muerto de frío. A Pulgarcita le dio mucha pena, pues quería mucho a todos los pájaros, que tan dulcemente habían cantado y gorjeado para ella durante el verano. El topo le dio un puntapié al pájaro con una de sus cortas patas y dijo:

—Éste ya ha dejado de piar. ¡Qué desgracia es nacer pájaro! Gracias a Dios que ninguno de mis hijos será pájaro. No saben más que piar, y cuando llega el invierno se mueren de hambre.

—Sí, eso es lo que piensa toda la gente sensata —dijo la ratita—. ¿De qué sirve tanto piar? Nada más que para morirse de hambre y de frío cuando llega el invierno. Pero supongo que ellos piensan que es romántico.

Pulgarcita no dijo nada, pero cuando la rata y el topo le dieron la espalda, ella se inclinó y besó a la golondrina en los ojos cerrados. «Puede que éste fuera uno de los pájaros que me cantaban tan melodiosamente este verano», pensó. «¡Qué alegría me proporcionaba aquel precioso pájaro al que tanto quiero!».

El topo rellenó el agujero a través del cual entraba la luz, y acompañó a las damas a casa. Pero Pulgarcita no pudo dormirse esa noche; se levantó y tejió con heno una manta grande y muy bonita, fue a la oscura galería y tapó al pajarito. Había encontrado trozos de algodón en la despensa de la ratita, y los metió bajo la golondrina para protegerla de la húmeda y fría tierra.

—¡Adiós, pájaro precioso! —dijo—. Adiós, y gracias por las canciones que me cantaste durante el verano, cuando todos los árboles eran verdes y el sol nos calentaba.

Entonces apoyó la cabeza en el pecho del pájaro y se llevó un buen susto, porque algo daba golpecitos en su interior. Era el corazón del pájaro, pues la golondrina no estaba muerta, y el calor la había reanimado.

En otoño todas las golondrinas emigran hacia países más cálidos. Si alguna se entretiene más de la cuenta y se ve sorprendida por la primera helada, cae al suelo como si estuviera muerta y la cubre la fría nieve.

Pulgarcita se estremeció de miedo, pues a su lado la golondrina era enorme. Ella sólo medía una pulgada, pero se armó de valor y abrigó a la golondrina con los algodones; fue incluso a buscar la hojita de menta que ella usaba de colcha y la puso sobre la cabeza del pájaro.

A la noche siguiente volvió a meterse despacito en la galería; el pájaro seguía vivo, pero estaba tan débil que apenas pudo abrir los ojos un instante y ver a Pulgarcita en la oscuridad, pues la niña llevaba un trocito de madera podrida en la mano que le servía de lámpara.

—Gracias, niña encantadora —dijo la golondrina—; ahora me encuentro mucho mejor. Ya no tengo frío. Dentro de poco recobraré las fuerzas y podré volar a la luz del sol.

—¡Oh, no! —replicó Pulgarcita—. Ahí fuera hace mucho frío y está nevando; te congelarías. Quédate aquí calentita en la cama, que yo cuidaré de ti.

Pulgarcita le trajo agua en una hoja. Después de beberla, la golondrina le contó su historia. Se había desgarrado el ala en unas zarzas, y por eso no podía volar tan rápido como las otras golondrinas, así que se había quedado atrás cuando las demás se marcharon hacia países cálidos. Una mañana, al fin, se desmayó del frío, pero no recordaba nada más, e ignoraba cómo había podido ir a parar a la galería del topo.

El pájaro se quedó todo el invierno. Pulgarcita cuidó mucho de él, y le tomó mucho cariño, pero no les dijo ni palabra al topo ni a la rata, porque sabía que a ellos no les gustaba la pobre golondrina.

En cuanto llegó la primavera y el sol calentó la tierra, la golondrina se despidió de Pulgarcita, que a continuación abrió el agujero que había hecho el topo. El sol les produjo una sensación muy agradable. La golondrina le preguntó si quería acompañarla; podía llevarla sentada sobre la espalda y volarían hacia el bosque. Pero Pulgarcita sabía que la ratita se sentiría muy triste y sola si ella la abandonaba.

—No, no puedo irme —dijo.

El pájaro le dio las gracias una vez más.

—¡Adiós…, adiós…, niña encantadora! —gorjeó, y echó a volar hacia la luz del sol.

Los ojos de Pulgarcita se llenaron de lágrimas al ver marcharse a la golondrina, porque la quería mucho.

—Pío, pío —cantaba la golondrina, y desapareció por el verde bosque.

La pobre Pulgarcita estaba desolada. Con el buen tiempo, las espigas muy pronto habrían crecido tanto que el campo quedaría a la sombra y ella, que sólo medía una pulgada, ya no podría disfrutar del calor y de la luz del sol.

—Debes aprovechar el verano para prepararte el ajuar —le dijo la rata de campo, pues el topo feo y sensato del abrigo de terciopelo le había pedido la mano—. Debes tener a punto la ropa de lana, la ropa de hilo, las sábanas y las mantelerías para cuando seas la señora del topo.

Pulgarcita tuvo que hilar a mano, y la ratita contrató a cuatro arañas para tejer noche y día. El topo venía todas las noches de visita, pero de lo único que hablaba era de lo bien que estarían cuando pasara el verano. No le gustaba que el sol calentara la tierra, pues cavar se le hacía entonces muy pesado. Se casarían en cuanto llegara el otoño. Pero Pulgarcita no era feliz; pensaba que el topo era muy feo y aburrido y no lo quería. Cada día, a la salida y a la puesta del sol, salía de puntillas a la entrada de la casa de la ratita, y así, cuando el viento soplaba y apartaba los tallos del trigo, ella podía ver el cielo azul. Pensaba que en el exterior todo era bello y luminoso, y añoraba a su amiga la golondrina. «Seguramente estará ya muy lejos, en los fantásticos bosques verdes», pensaba; «y nunca regresará».

Cuando llegó el otoño, el ajuar de Pulgarcita estaba ya terminado.

—Dentro de cuatro semanas te casarás —dijo la rata de campo.

Pulgarcita se puso a llorar y le dijo que no quería casarse con el feo y aburrido topo.

—¡Bobadas! —chilló la rata—. No seas testaruda, o te morderé con mis afilados dientes. ¡Pero si es un excelente partido! ¡Su piel de terciopelo negro le gustaría hasta una reina! Además, tiene despensa y cocina; deberías agradecerle a Dios que te haya concedido un marido tan bueno.

Llegó el día de la boda. El topo vino a llevarse a Pulgarcita de buena mañana. Ella se sentía muy triste, porque tendría que vivir con él en un sitio muy profundo de la tierra y ya nunca volvería a ver el sol. Mientras Pulgarcita vivió con la rata de campo, al menos se le permitía subir hasta la entrada de la casita y mirar el sol.

—¡Adiós…, adiós…, hermoso sol! —dijo, levantando las manos al cielo.

Pulgarcita se alejó unos pasos de la casa de la rata. Era otoño, se había acabado la cosecha y ya sólo quedaban rastrojos. Entonces vio una florecita roja, le dio un abrazo y dijo:

—¡Adiós! Y dale recuerdos a la golondrina si la vuelves a ver.

—Pío, pío —se oyó decir en el aire.

Pulgarcita levantó la vista. Era la golondrina. Al ver a Pulgarcita, la golondrina gorjeó de alegría. Entonces ella le explicó al pájaro que querían obligarla a casarse con el horrible topo y vivir siempre bajo tierra, por lo que no volvería a ver el sol. Y al explicárselo, los ojos se le llenaron de lágrimas.

—Ahora llega el frío invierno —dijo la golondrina—, y yo me voy muy lejos a países más cálidos. ¿Por qué no me acompañas? Puedes sentarte encima de mí. Átate bien para no caer, y volaremos muy lejos del horrible topo y de su lóbrega[4] casa; sobrevolaremos las grandes montañas y llegaremos a países donde el sol brilla más que aquí y donde crecen las más bellas flores y siempre es verano. Vente conmigo, Pulgarcita. Tú me salvaste la vida cuando yo yacía helada en las profundidades de la tierra.

—¡Sí, iré contigo! —exclamó Pulgarcita, y se subió encima de la golondrina. Se ató con un lazo a una de sus plumas, y la golondrina echó a volar muy alto, y sobrevoló bosques, lagos y altísimas montañas que están cubiertas de nieves perpetuas.

---

4 **lóbrega**: que es triste, porque no tiene luz ni es cómoda.

Pulgarcita se helaba con aquel aire tan frío, pero se acurrucó bajo las cálidas plumas del pájaro y sólo sacaba su cabecita para contemplar toda la belleza que había a sus pies.

Llegaron a los países cálidos. Y era verdad lo que había dicho la golondrina: el sol resplandecía allí con más intensidad y el cielo parecía dos veces más alto. Por todas partes crecían racimos cargados de uvas verdes y moradas. De los árboles de los huertos pendían naranjas y limones. Encantadores niños corrían por los caminos, persiguiendo mariposas multicolores.

Pero la golondrina siguió volando más hacia el sur, y el paisaje que contemplaron era aún más hermoso.

Cerca de un bosque, a orillas de un lago, se levantaban las ruinas de un antiguo palacio; la hiedra se enrollaba alrededor de las blancas columnas. Encima de ellas había muchos nidos de golondrinas, en uno de los cuales vivía la golondrina que llevaba a Pulgarcita.

—Ésta es mi casa —dijo—. Ahora escoge una de las bellas flores que hay abajo, que yo te llevaré hasta ella. Será una casa preciosa para ti.

—¡Qué maravilla! —exclamó Pulgarcita, dando palmadas.

Entre las columnas de mármol rotas crecían hermosas flores blancas. La golondrina dejó a Pulgarcita sobre los pétalos de una de ellas. ¡Y qué cosa más asombrosa! En el centro de la flor había un hombrecito blanco y casi transparente, como si fuera de cristal. Llevaba una corona de oro en la cabeza y en la espalda tenía unas hermosas alas transparentes. No era mayor que Pulgarcita. En cada flor vivía un angelito semejante, pero éste era el rey de todos.

—¡Qué apuesto es! —susurró Pulgarcita a la golondrina.

El minúsculo rey se quedó aterrorizado al ver el pájaro, que era varias veces mayor que él. Pero cuando vio a Pulgarcita perdió todo temor. Era la criatura más bonita que había visto jamás; así que se quitó la corona y se la puso a ella, y luego le preguntó cómo se llamaba y si quería ser la reina de las flores.

¡Éste sí que era un buen partido, y no el hijo del viejo sapo o el topo del abrigo de terciopelo! Pulgarcita le dijo que sí, y de cada flor salió un encantador angelito para rendirle homenaje a su

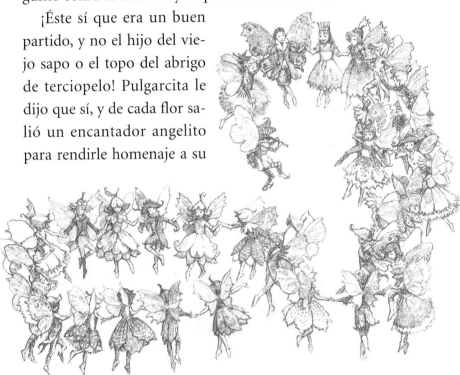

reina. ¡Qué bellos y delicados eran todos! Le trajeron regalos, y el mejor de todos fue un par de alas para volar, como lo hacían ellos, de flor en flor.

Fue un día jubiloso. La golondrina, desde su nido en el palacio, cantó para todos lo mejor que sabía. Pero en el fondo de su corazón estaba triste, porque el pájaro también amaba a Pulgarcita y había confiado en que nunca se separarían.

—Ya no te llamarás Pulgarcita —dijo el rey—. Es un nombre muy feo. A partir de ahora te llamaremos Maya.

—¡Adiós! ¡Adiós! —gritó la pequeña golondrina.

Y regresó volando al norte, muy lejos de los países cálidos, camino de Dinamarca. Allí tiene su nido, sobre la ventana de un hombre que sabe contar cuentos.

—Pío, pío —cantaba la golondrina.

Y el hombre la oyó cantar y escribió este cuento.

actividades

El traje nuevo del emperador

Comprensión

1. El emperador del cuento tiene una obsesión. ¿En qué se gasta todo su dinero y a qué dedica todo su tiempo? (pág. 7)

2. Un día recibe la visita de dos granujas que dicen que pueden confeccionar una tela muy particular. ¿Qué maravillosa virtud tiene esa tela? (págs. 7-8)

3. El emperador encarga a los forasteros que le cosan un traje. Pero ¿qué hacen los dos granujas cuando se ponen ante el telar? ¿Dónde va a parar toda la seda y el hilo que les dan?

4. El emperador desea saber cómo avanza el trabajo de los tejedores, así que envía a su primer ministro para que lo compruebe. ¿Por qué no va el propio emperador a ver la tela? ¿De qué se sorprende el ministro cuando llega ante el telar? ¿Por qué finge que le gusta la tela? (págs. 9-10)

5. Finalmente, el emperador acude a ver la tela. ¿Por qué se asusta tanto cuando se la enseñan? Sin embargo, ¿qué es lo que les dice a los tejedores? (p. 11)

6. Una vez acabado el traje, el emperador se lo pone para desfilar por la ciudad. ¿Qué dice la gente cuando lo ve? ¿Por qué mienten? ¿Quién es el único que dice la verdad? ¿Cómo reacciona el emperador

cuando todo el mundo se da cuenta de que le han engañado? (p. 16)

Comentario

1 De los siguientes adjetivos, ¿cuáles se le podrían aplicar al **emperador**?

☐ Humilde ☐ Caprichoso ☐ Desconfiado ☐ Sabio

☐ Arrogante ☐ Sencillo ☐ Tonto ☐ Confiado

2 ¿Qué te parece la reacción del emperador en las últimas líneas del relato? ¿Crees que se merece lo que le pasa? ¿Por qué? Al leer el cuento, ¿quién te ha resultado más simpático: el emperador o los dos pícaros que lo engañan?

3 ¿Te parece que un emperador que sólo piensa en su vestuario puede gobernar bien a su pueblo? ¿Qué pasaría si todos los gobernantes se interesaran tan sólo por su ropa? Si tú fueses emperador, ¿cuáles serían tus principales preocupaciones?

4 El **primer ministro** del emperador **miente** para no salir perjudicado. ¿Crees que hace bien? Si tú estuvieras en su lugar, ¿mentirías o le contarías la verdad al emperador aunque corrieses el riesgo de quedar como un tonto o un inútil?

5 Durante la procesión, sólo hay una persona que dice la verdad. ¿Por qué crees que se trata de un niño? ¿Te parece que los niños son más sinceros que los adultos? ¿O es que son más valientes? ¿O puede que más ingenuos?

Creación

1 Andersen no nos habla del **aspecto físico del emperador**. ¿Por qué no haces una descripción del personaje en que nos expliques si es gordo o flaco, de qué color tiene los ojos y el cabello, si

es alto o bajito…? Si quieres, puedes inspirarte en las ilustraciones que acompañan al cuento. Para que tu descripción sea más divertida, puedes utilizar comparaciones y exageraciones del tipo: "Los ojos del emperador eran tan pequeños como las hormigas del campo".

2 Escríbele una **carta** al emperador dándole diez consejos para ser un buen rey. El primero de ellos podría ser el siguiente: "No le deis tanta importancia a la ropa. El buen emperador no es el que mejor viste sino el que mejor gobierna".

El firme soldado de plomo

Comprensión

1. El protagonista del cuento es un soldado de plomo muy especial. ¿En qué se diferencia de sus veinticuatro hermanos?

2. El soldadito se fija en una bailarina que vive a las puertas de un castillo de papel. ¿Por qué le atrae? (pág. 20) ¿Tiene esperanzas de casarse con ella?

3. Al día siguiente, el soldadito cae por una ventana. ¿Qué hacen con él los dos golfillos que se lo encuentran? (pág. 22)

4. El soldadito va a parar a una alcantarilla, y sigue afrontando peligros. ¿Por qué se enfada con él la rata de agua? (pág. 22) ¿Qué le pasa al barco del soldadito cuando llega al gran canal? (pág. 23)

5. Tras un peligroso viaje, el soldado acaba en el vientre de un pez, donde todo está a oscuras. Cuando el soldado vuelve a ver la luz del día, ¿dónde se encuentra? (pág. 24) ¿Qué es lo que le ha pasado al pez?

6. El soldadito tiene un final triste, porque ¿qué es lo que hace con él uno de los niños? (pág. 25) Cuando el soldadito empieza a desaparecer, ¿qué le pasa a la bailarina? ¿En qué se convierte al final el soldadito? (pág. 26)

Comentario

1 A pesar de su defecto físico, ¿cuál es la principal característica del **soldado de plomo**? ¿Pasa miedo en algún momento? ¿Qué canción le viene a la memoria cuando su barquito se hunde? (pág. 25)

2 El soldadito es muy serio, formal y responsable. ¿Por qué no grita cuando la criada y el niño bajan a la calle a buscarlo? (pág. 21) ¿Qué hace cuando siente ganas de llorar? (pág. 24) ¿Crees que el soldadito es un personaje sensible? ¿Por qué?

3 La **bailarina** es un personaje callado y misterioso. ¿Te parece una creída? ¿Crees que está enamorada del soldado? ¿Piensas que le gusta la idea de morir junto a él? ¿Por qué al final sólo queda de ella una "lentejuela, negra como el carbón"?

4 En sus cuentos, Andersen denunció a menudo **la maldad** de las personas. ¿Qué personajes de «El firme soldado de plomo» cometen actos de maldad gratuita, es decir, que hacen el mal porque sí, sin venir a cuento? ¿Crees que hay gente que se siente feliz cuando perjudica a los demás? ¿Disfrutas tú cuando haces una travesura?

Expresión y creación

1 En este cuento los juguetes tienen vida, piensan y sienten lo mismo que las personas. Además, cada uno manifiesta una personalidad propia: el cascanueces es alocado, la tiza es tonta, el duende es maligno… Imagínate que **escribes un cuento** sobre lo que sucede en el interior de un armario y que sus protagonistas son las prendas de ropa. ¿Qué personalidad tendría el abrigo

negro? ¿Y los calcetines de rayas? ¿Y las doce corbatas? ¿Y el chándal? ¿Y los pantalones piratas? ¿Y el pijama?

2 El principal enemigo del soldado es **el duende** de la caja sorpresa. ¿Cómo te imaginas a ese personaje? ¿Serías capaz de dibujarlo en tu cuaderno?

3 «El firme soldado de plomo» es una historia de **amor imposible** que tiene un final triste. Sin embargo, es fácil imaginarle un **desenlace distinto** al cuento. ¿Qué hubiera pasado si la bailarina y el soldadito hubiesen llegado a ser novios? ¿Qué conversaciones hubieran tenido al conocerse? ¿Cómo hubiera sido su boda? ¿Qué tipo de vida habrían llevado? ¿Cómo habrían sido sus hijos? ¿Acaso tendrían el alma de papel y el cuerpo de plomo? Invéntate la historia de la vida feliz del soldadito y la bailarina y explícasela luego a tus compañeros y compañeras.

La princesa y el guisante

Argumento

1 Un príncipe desea casarse con una princesa de verdad. ¿Por qué no encuentra ninguna?

2 Un buen día aparece ante las puertas de la ciudad una muchacha que dice ser una princesa. ¿Tiene aspecto de serlo? ¿Por qué?

3 ¿A qué prueba someten a la joven para averiguar si es una princesa? ¿Cómo la supera?

Expresión

1 El príncipe encuentra defectos a todas las princesas. ¿Crees que una princesa no debería tener defectos? En todo caso, ¿cómo crees tú que debería ser una princesa perfecta? Haz una lista de al menos doce cualidades que según tú debería tener una princesa.

2 La reina somete a la muchacha a una prueba muy original, pero imposible de superar. ¿A qué prueba someterías tú a una persona para averiguar si tiene buena vista o buen oído? Procura que sea tan original y extremada como la prueba a la que someten a la princesa.

El ruiseñor

Comprensión

1 El emperador de China se siente muy satisfecho porque vive rodeado de belleza. ¿Cómo es su palacio y su jardín? Sin embargo, el emperador desconoce la más valiosa de sus posesiones. ¿Cuál es y cómo se entera de su existencia? (págs. 30-31)

2 El emperador ordena que le traigan al ruiseñor. ¿Cómo averigua el cortesano principal dónde se encuentra el pájaro? (pág. 33) ¿Qué dice al ver el aspecto del ruiseñor? (pág. 35)

3 El pajarillo gris accede a ir al palacio. ¿Cómo reacciona el emperador al oírlo cantar? (pág. 37) ¿Qué le regala el emperador en agradecimiento por sus hermosas canciones? Sin embargo, ¿qué preciado don pierde el ruiseñor? (pág. 39)

4 Un día al emperador le regalan un ruiseñor mecánico. ¿En qué se distingue del ruiseñor de verdad? (págs. 39-40) ¿Qué opinan del ruiseñor mecánico los cortesanos y, sobre todo, el maestro de música? (págs. 40 y 42) ¿Por qué le gusta su canto a la gente? (pág. 43)

5 Al cabo de cinco años el emperador yace en la cama gravemente enfermo. ¿Quiénes se le aparecen y qué le echan en cara? (págs. 44-45) ¿Quién acude en su ayuda y cómo consigue espantar a las apariciones? (pág. 46)

Comentario

1 En este cuento Andersen nos habla de dos maneras distintas de entender **la belleza**. El emperador y su corte creen que **únicamente lo artificial puede ser bello**: un palacio de "porcelana fina", un jardín con flores a las que atan "campanitas de plata" y un ruiseñor mecánico de oro y plata. ¿En qué momento descubrimos que los cortesanos ni siquiera conocen a los animales más corrientes? (págs. 34-35)

2 En cambio, la gente sencilla admira la **belleza natural** del "bosque encantador" donde vive el ruiseñor. ¿Qué reacción provoca el canto del ruiseñor en el pescador y la cocinera? (págs. 31 y 34) ¿Y en las damas de la corte? (pág. 38) ¿Dónde "suena" mejor el canto del pajarillo? (pág. 35) ¿En qué se distingue su canto de la única tonada que puede cantar el ruiseñor mecánico? ¿Qué ruiseñor preferirías tú y por qué?

3 Andersen se burla en el cuento de **los cortesanos**, a los que considera gente falsa y artificial. ¿Qué contesta el cortesano principal cuando alguien de categoría inferior le hace una pregunta? (pág. 32) ¿Qué opinas de una persona que actúa así?

4 El **maestro de música** es capaz de escribir "veinticinco volúmenes" sobre el pájaro mecánico. ¿Con qué clase de palabras escribe los libros y pronuncia sus discursos? (págs. 43-44) ¿Los entiende la gente? ¿Cómo calificarías al maestro de música, a las cortesanas que imitan al ruiseñor o a la gente que dice entender al maestro de música?

5 El **emperador** vive aislado en su palacio y se comporta de modo parecido a sus cortesanos. ¿Con qué amenaza a sus sirvientes si no le traen el ruiseñor? (pág. 33) A pesar de ello, el emperador es más sensible que sus cortesanos, como lo demuestran las lágrimas que vierte al oír cantar al pajarillo. ¿De qué se arrepiente al final del cuento? ¿Qué le concede al ruiseñor? (págs. 46-47)

6 El **ruiseñor** representa en este cuento al **artista**. ¿Qué función desempeña el ruiseñor-artista en la sociedad? Al final del relato, el ruiseñor le salva la vida al emperador; ¿pero qué importante servicio le prestará también? (págs. 47-48) ¿Crees que ésa debe ser la misión de los artistas?

Expresión y creación

1 Andersen nos habla en este cuento de la **importancia de la belleza y del arte para nuestras vidas**. El canto del ruiseñor hace llorar de emoción al pescador, a la cocinera y al emperador. ¿Qué significan para ti la música, el cine, la lectura de un buen libro...? ¿Qué emociones te hacen sentir? ¿Podrías prescindir por completo de esas distracciones? Comenta tu opinión con el resto de compañeras y compañeros de clase.

2 Ya hemos visto que para los cortesanos sólo lo artificial puede ser bello. Pero nosotros sabemos que la belleza se encuentra sobre todo en **la naturaleza** y en muchas **cosas sencillas**: una puesta de sol, un paisaje natural, un árbol o una flor, el canto de un pájaro... **Describe** en diez líneas algo que a ti te parezca especialmente bello (aunque en apariencia no lo sea, como el ruiseñor, un pajarillo gris pero con una "voz" maravillosa).

3 El ruiseñor promete hablarle al emperador sobre "lo bueno y lo malo que sucede a tu alrededor, pero que no puedes ver", para que "te alegres y medites". ¿Crees que eso servirá para que el emperador cambie? ¿En qué sentido podría hacerlo? ¿Atenderá más a los pobres y menos a los cortesanos? ¿Se deshará del maestro de música? ¿Pensará de otra manera sobre lo que es hermoso? **Escribe una continuación del cuento** para explicar qué podría suceder.

El patito feo

Comprensión

1. Una pata empolla a sus polluelos, pero uno de ellos no acaba de romper el cascarón. Cuando una vieja pata ve el huevo, ¿de qué sospecha que es? ¿Qué le recomienda a la madre pata? ¿Sigue ésta el consejo de la vieja? (págs. 50-51)

2. La pata decide presentar en sociedad a sus polluelos. ¿Adónde los lleva? ¿Cómo tratan los patos del corral al patito feo? ¿Por qué actúan así? (pág. 52) ¿Cómo reacciona la madre?

3. Cansado de que todos lo maltraten, el patito feo huye de la granja, y por el camino va topando con otros personajes. ¿Qué opinan de él los patos salvajes? ¿Y los gansos salvajes?

4. Aterrorizado por los disparos de unos cazadores, el patito se refugia en una choza habitada por una vieja, un gato y una gallina. ¿Por qué lo rechazan el gato y la gallina? (pág. 59)

5. En otoño el patito ve volar unos pájaros esbeltos y elegantes. ¿Qué pájaros son ésos y qué siente el patito al contemplarlos? (págs. 60-61)

6. El patito sobrevive a los fríos invernales, y un día de primavera ve de nuevo unos cisnes. ¿Qué decide hacer entonces? Para su sorpresa, ¿qué descubre? ¿Cómo se siente al fin? (págs. 63-64)

Comentario

1 Como buena madre, la pata se ocupa de la **enseñanza** de sus crías. ¿Qué quiere que aprendan? ¿Les enseña también a que se comporten todos igual y a que sean "patitos bien educados"? Con esa rígida educación, si uno de ellos fuera distinto, ¿sería aceptado por los otros con facilidad? No obstante, ¿acepta la madre pata que su polluelo sea distinto? (pág. 54)

2 El drama del patito feo es que **es diferente a los demás** y nadie lo acepta, ni siquiera sus propios hermanos. Como dice uno de los patos del corral, "es demasiado grande y no se parece a nosotros", y eso basta para que haya que "darle una buena zurra". ¿Cómo se siente el patito ante el desprecio y la agresividad de los demás? (págs. 54-57) Según el gato y la gallina, ¿qué debe hacer el patito si quiere que lo acepten? (pág. 59) ¿Es eso posible?

3 Casi todos los animales del cuento son intolerantes y algunos son crueles. De otros se burla Andersen porque **se creen superiores a los demás**. ¿Qué animales se creen superiores al resto? Menciona algunas frases que lo demuestren.

4 Al final del cuento el patito resulta ser un cisne, y eso le hace sentirse feliz. ¿Pero es feliz porque se da cuenta de que es un cisne, o porque al fin todos lo aceptan y lo admiran?

Expresión y creación

1 Lo que ocurre en este cuento sucede muchas veces en la realidad: con frecuencia **no nos gusta ni aceptamos que los demás sean distintos a nosotros**: que tengan un color de piel diferente, que sean de otros países o hablen otras lenguas, que tengan otras creencias, costumbres, gustos... ¿Por qué crees que ocurre eso? Haz una lista de las muchas cosas que podríamos aprender de alguien distinto a nosotros y coméntala con el resto de la clase.

2 Lo cierto es que **todos somos distintos**. ¿En qué consideras tú que eres distinto a los demás? ¿Te has sentido alguna vez rechazado o rechazada por otras personas porque haya algo en ti diferente a los demás? **Escribe** en diez o doce líneas tu experiencia. Luego leed y comentad en clase el poema de Juan Ramón Jiménez titulado «Distinto». Lo encontrarás en la antología poética *La rosa de los vientos*, de la colección «Cucaña».

3 Los personajes del cuento no tienen nombre, salvo el gato y la gallina, que se llaman Hijito y Clo-clo Patas-cortas. **Ponles nombres** a otros personajes, de manera que cada nombre refleje la forma de ser de cada uno de ellos. Por ejemplo, al pavo que ataca al patito podrías llamarlo Inflado o Ventoso, porque se da muchos aires, es muy creído. ¿Qué nombres les darías a los patos salvajes, a los gansos salvajes, a la madre pata, al patito feo y a la vieja pata de la cinta roja?

La pequeña cerillera

Comprensión

1. Este cuento nos habla de una niña que se dedica a vender cerillas por las calles. ¿Por qué está tan triste y desanimada en la Nochevieja? (pág. 66) ¿Por qué se resiste a volver a casa? (pág. 68)

2. Para calentarse un poco, la niña enciende una cerilla. ¿Qué se imagina al encenderla? (pág. 68) ¿Y cuando rasca la segunda cerilla? (pág. 69)

3. Al encender la tercera cerilla, la niña cree ver una estrella que cae, y piensa que eso quiere decir que alguien se está muriendo. ¿Sabes quién es esa persona que se muere? (pág. 70)

4. Cuando rasca la cuarta cerilla, la niña ve a su abuela. ¿Qué le pide? (pág. 70) ¿Por qué enciende la niña todas las cerillas que le quedan? ¿Adónde se lleva la abuela a la niña?

5. ¿Qué final tiene la cerillera? ¿Por qué se muestra sonriente en la mañana de Año Nuevo?

Comentario

1. Tras mucho sufrir, la cerillera acaba en un lugar "donde no había frío, ni hambre, ni miedo". ¿Te parece que el cuento tiene un **final feliz**? ¿Por qué?

2 La cerillera vive en un mundo lleno de **gente egoísta y cruel**. Entre las personas que la rodean, ¿hay alguien que se preocupe por ella? ¿Qué le sucede a la cerillera cuando se le caen las zapatillas? ¿Qué trato recibe la niña en casa?

3 Andersen describe una **sociedad injusta** en que hay grandes diferencias entre los ricos y los pobres. Mientras la cerillera sufre el hambre y el frío, ¿a qué huele en las calles? (pág. 68) ¿Qué hace la gente en sus casas? ¿Crees que un caso como el de la cerillera podría darse hoy en día en nuestro país? ¿Por qué?

4 ¿Piensas que la gente es **solidaria con los pobres**? ¿Qué harías tú si te encontraras a una niña como la cerillera en la calle durante la Nochevieja? ¿Te parece que es agradable o más bien molesto ayudar a los demás cuando nos necesitan? ¿Has ayudado tú a alguien alguna vez?

5 En la Europa de los tiempos de Andersen eran muchos **los niños que tenían que trabajar** para ganarse el sustento. ¿Sabes si hay lugares donde los niños todavía trabajen? ¿Qué se podría hacer para acabar con esa situación? ¿Habría que castigar a los padres que dejan trabajar a sus hijos?

La sirenita

Comprensión

1 En las profundidades marinas vive el rey del mar con sus seis hijas. ¿Cuál de ellas es especial y por qué? ¿Qué es lo que más le gusta de las historias que cuenta su abuela? (págs. 73-74)

2 Al cumplir quince años, las princesas suben a la superficie del mar y se quedan admiradas del mundo de los humanos. Sin embargo, ¿qué piensan al cabo de un tiempo? (pág. 76)

3 Cuando la sirenita asciende por fin a la superficie del mar, ve a un joven príncipe y se enamora de él. ¿Qué ocurre cuando acaba la fiesta de cumpleaños? (pág. 79) ¿Qué hace la sirenita para que el príncipe no se ahogue? ¿Cómo se siente ella tras conseguir salvarlo? (págs. 79-82)

4 La sirenita está cada vez más fascinada por el mundo de los humanos, así que un día acude a su abuela para que le explique más cosas del "mundo superior". ¿Cuántos años vive la gente del mar y qué le ocurre al morir? ¿Le sucede lo mismo a los seres humanos? ¿Qué desea la sirenita por encima de todo? Según la abuela, ¿cómo lo puede conseguir? (págs. 84-85)

5 La sirenita está dispuesta a todo con tal de satisfacer sus deseos. ¿A quién busca para que la ayude? ¿Qué le ocurrirá a la sirenita cuando se tome el brebaje? ¿Y cuando haya adoptado forma humana? (pág. 88) ¿Qué tendrá que entregar a la bruja a cambio del brebaje? (pág. 89)

6 La sirenita se convierte en inseparable compañera del príncipe. ¿Pero qué clase de amor siente él por ella? ¿A qué se debe ese afecto? (págs. 93-94)

7 Al príncipe le llega la hora de casarse. ¿Quién resulta ser la princesa que le han buscado? Al verla, ¿cómo reaccionan el príncipe y la sirenita? (págs. 96-97)

8 Las hermanas de la sirenita emergen del mar para ayudarla. ¿Qué le ofrecen? ¿Lo acepta la sirenita? ¿Qué consuelo le dan al final las hijas del aire? (págs. 100 y 102)

Comentario

1 Este cuento es una emotiva **historia de amor**. Cautivada por la belleza y bondad del príncipe, la sirenita lo acepta todo con tal de estar a su lado. ¿A qué debe renunciar? La pérdida del habla, ¿qué le impide hacer? A cambio de tantos sacrificios, ¿qué obtiene del príncipe? ¿Se siente ella recompensada? Si tú estuvieses en su lugar, ¿te sentirías recompensada o recompensado? ¿Por qué?

2 La sirenita ansía también **un alma inmortal**. ¿Qué dice que "daría con gusto" para conseguirla? (pág. 85)

3 Para lograr lo que quiere, la sirenita ha de recurrir a **una bruja**, que representa **el mal**. ¿Cómo describe el narrador el lugar en que vive la bruja? (págs. 86-87) ¿Crees que es una buena idea pedir ayuda a alguien malvado para conseguir lo que uno se propone? ¿Por qué?

4 La abuela trata de convencer a su nieta de que se acepte tal y como es: una bella sirena con una hermosa cola de pez. "Nosotros vivimos

más felices aquí abajo que los seres humanos allá arriba", le dice, y la invita a disfrutar de los trescientos años de vida que tienen las sirenas. ¿Aceptarías tú el consejo de la abuela? ¿Crees que tendríamos que aceptarnos como somos, con nuestras limitaciones, o luchar y sacrificarnos para conseguir un sueño, algo que parece imposible? A la hora de contestar, piensa que los seres humanos han conseguido muchas veces cosas imposibles: volar, por ejemplo.

5 «La sirenita» es una historia hermosa y algo triste, pero nos enseña que el **amor** es un acto de **entrega**, de **generosidad**, y eso no sólo lo aprendemos con la sirenita. ¿Qué llegan a hacer por ella sus hermanas mayores? (pág. 99) En todo caso, ¿no podríamos decir que la sirenita consigue en buena medida lo que se había propuesto? ¿Por qué?

Pulgarcita

Comprensión

1. Una mujer desea tener un hijo diminuto. ¿Cómo consigue su deseo? (pág. 103)

2. Una noche, mientras Pulgarcita duerme, una vieja sapo entra en la habitación y se la lleva. ¿Con qué intención lo hace?

3. ¿Cómo consigue Pulgarcita huir de los sapos? (pág. 107)

4. Pulgarcita pasa el verano y el otoño en el bosque, pero en cuanto llega el invierno tiene mucho frío. ¿A quién recurre en busca de ayuda? ¿Qué le pide este personaje a cambio? (págs. 109-110)

5. En la galería que conecta la casa de la rata con la del topo encuentran una golondrina. ¿Cómo ha ido a parar allí? ¿En qué estado se encuentra? ¿Qué hace Pulgarcita por ella? (págs. 111-114)

6. Pulgarcita no desea casarse con el topo. ¿Por qué razón? ¿Cómo se siente la niña? (págs. 115-116) ¿Quién la ayuda a escapar esta vez?

7. ¿Con quién se casa al final Pulgarcita? ¿Cuál es el regalo que le hace más ilusión? ¿Qué otro nombre le dan los seres alados?

Comentario

1 Tras ser secuestrada por la vieja sapo, Pulgarcita emprende **un viaje lleno de peligros**. Por el camino, unos personajes la ayudan y otros la molestan y le quitan su libertad. De entre los personajes siguientes, ¿cuáles pertenecen a uno y otro grupo?

peces	sapos	mariposa	rey de los seres alados
topo	golondrina	abejorro	rata de campo

2 **Pulgarcita es un personaje muy especial,** y no sólo porque es diminuta. ¿De dónde sale la niña? (pág. 103) ¿Qué aspecto tiene y cómo canta? (pág. 104) Cuando el abejorro se la lleva, ¿qué es lo que más preocupa a Pulgarcita? (págs. 107-108) ¿Qué siente la niña por la golondrina y cómo la trata? (págs. 111-113) ¿En qué se convierte al final del cuento? (pág. 119)

3 Con lo sensible que es Pulgarcita, nada tiene de extraño que a ella no le guste nada **el topo**. ¿Por qué opina la rata que Pulgarcita debe casarse con el topo? (pág. 110) ¿Dónde vive el topo y qué cosas le desagradan? ¿Le gusta expresar sus sentimientos? (pág. 110) ¿Qué piensan él y la rata de la golondrina? ¿Cómo trata el topo al pajarillo? (pág. 112)

4 Pulgarcita se siente muy agradecida a **los pájaros como la golondrina**. ¿Por qué razón? (pág. 112) ¿En qué te recuerda la golondrina al ruiseñor del cuento de Andersen?

Creación y expresión

1 La protagonista del cuento se llama Pulgarcita porque sólo mide una pulgada. ¿Qué **nombre** le pondrías a alguien que tuviera la nariz larga? ¿Y a alguien con muy buen oído o la voz muy aguda?

2 Como a la rata de campo le gustan mucho los cuentos, le pide a Pulgarcita que todos los días le cuente uno. Vosotros haréis lo mismo. Cada día, al finalizar la clase, un alumno o una alumna le contará al resto de los compañeros uno de los muchos cuentos que escribió Andersen y que no figuran en este libro.